의사국가고시 | 레지던트시험 | 전문의시험 | 준비를 위한

# HANDBOOK
# POWER
## Surgery

KB156430

POWER MANUAL SERIES

## 외과 각론1

군자출판사

파워외과 핸드북 (각론1) 4th ed.

첫째판 1쇄 발행 | 2004년 7월 25일
둘째판 1쇄 발행 | 2006년 8월 30일
셋째판 1쇄 발행 | 2009년 5월 30일
넷째판 1쇄 인쇄 | 2017년 2월 10일
넷째판 1쇄 발행 | 2017년 2월 24일

지 은 이     김세준
발 행 인     장주연
편집디자인   조원배
일 러 스 트   유학영
표지디자인   이상희
발 행 처     군자출판사
            등록 제 4-139호(1991. 6. 24)
            본사 (10881) 경기도 파주시 회동길 338(서패동 474-1)
            전화 (031) 943-1888   팩스 (031) 955-9545
            홈페이지 | www.koonja.co.kr

ISBN 979-11-5955-154-3
     979-11-5955-152-9(세트)

3권 세트 35,000원

HANDBOOK

# POWER

## Surgery

외과 각론1

# 머리말

이번 「파워 외과」 개정판 출간을 통해 파워시리즈의 공백을 채울 수 있게 되어 영광입니다.
이 책의 목표는 의과대학(원) 학생 및 전공의의 외과 학습 효율을 높이는 데 있으며,
이 책의 특징은 다음과 같습니다.

- Sabiston 20판을 중심으로 최근 외과학의 경향을 반영하였습니다.
- 표, 그림 등 시각적인 편집을 강화하여 학습의 지루함을 덜고 이해를 돕도록 하였습니다.
- 최근 국가고시 기출 (2012년도~2017년도) 및 임상적인 중요도를 표시하였습니다.
- 단순 암기보다는 이해를 통한 학습을 위해 해설을 보강하였습니다.

이 책은 각종 학생시험 뿐 아니라 외과 전문의 자격시험을 대비하는데 도움이 되도록, 외과의 주요 전 영역을 다루었습니다. 따라서 국가고시를 준비하는 의과대학(원)생이 이 책을 보실 때에는 중요도 위주로 학습하는 것을 권장합니다.

이번 개정판은 오랜 공백 이후 출간된 만큼, 텍스트의 구성을 좀 더 체계적이고 보기 쉽게 편집하였습니다. 또한 최신 경향에 맞추어, 새롭게 바뀐 사비스톤 20판 교과서 및 진단/치료 가이드라인 등을 포괄적으로 반영하도록 노력하였습니다. 따라서 국가고시 대비 뿐 아니라 외과학 전반의 통합적인 이해를 위해서도 유용한 참고도서가 될 것이라고 생각합니다.

늘 소중한 가르침과 모범을 보여주신 가톨릭대학교 의과대학 외과학교실의 교수님들께 이 자리를 빌어 감사의 말씀 드리며, 특별히 본 책의 원저자이시자, 저희가 이번 개정판을 함께 집필할 수 있도록 배려해주신 김세준 교수님께 무한한 감사를 드립니다. 또한 바쁜 와중에도 소중한 시간을 할애하여 집필에 참여해준 학우들에게 고마움과 격려, 그리고 자랑스럽다는 말을 남기고 싶습니다.

이번 「파워 외과」 개정판이 출간되기 까지 많은 도움을 주신 군자출판사 장주연 사장님, 편집을 맡아 큰 수고를 해 주신 옥요셉 편집자님, 그리고 일러스트를 담당해주신 김경렬님께도 역시 큰 감사를 드립니다.

2017년 1월
가톨릭대학교 의과대학 외과학교실 김 세 준 교수
가톨릭대학교 의과대학·의학전문대학원 학생회 및 58회 졸업생 집필진

# 목차

## ■ Surgery 총론

# Surgery 각론

# 01 두경부 외과학

*Head and Neck*

## 해부

### 1. 목 삼각 (Triangle) :

SCM을 **경계**로 Ant. & Post. triangle로 구분되고 각각은 또한 아래의 그림에 따라 세분된다.

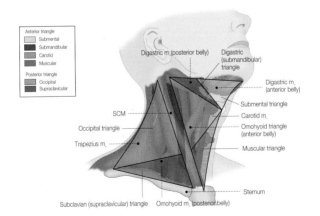

| Anterior Triangle | Posterior Triangle |
|---|---|
| ① Submental | ① Occipital |
| ② Submandibular | ② Supraclavicular |
| ③ Muscular | |
| ④ Carotid | |

## 두경부암

■ 특징

• 용어정리

**동시성 (Synchronous)** → 일차암 발견 6개월 내로 발견된 경우

**후시성 (Metachronous)** → 일차암 발견 6개월 이후 발견된 경우

• 전체적인 second primary tumor는 14%로서, 적어도 절반은 first prmary lesion으로부터 2년 내에 발생한다.

• Upper areodigestive tract tumor의 첫 진단시 Staging evaluation (direct Laryngoscopy, CXR, Barium swallowing)을 시행하여 second primary lesion 여부를 확인한다.

ex)

| [Primary Tumor] | | [Second primary tumor] |
|---|---|---|
| 구강 및 인두암시 | → | 경부 식도암 |
| 후두암시 | → | 폐암 |

• 두경부암 기원의 6가지 분류 (by AJCC)

① 입술(lip) 및 구강(oral cavity)

② 인두(pharynx)

③ 후두(larynx)

④ 비강(nasal cavity) 및 부비동(paranasal sinuses)

⑤ 주요 침샘(major salivary glands)

⑥ 갑상샘(thyroid)

# ■ 역학

• 대부분은 편평 세포암 (Squamous cell Ca), 남성이 더 많기는 하지만, male-to-female ratio는 꾸준히 감소 중

• 위험인자 ★

① 흡연, 음주★, Plummer-Vinson 증후군, 식이, 영양 구강위생, 유전적변이 및 태양광선 노출

② **직업과 연관** : Nickel Refining, Wood-Working, Textile Fibers

  ※야채 및 과일은 발생빈도를 줄인다.

③ **바이러스** : HPV ( Human Pailloma Virus), EBV

④ 소아에선 경부의 염증성 및 선천적질환

  • **성인 : 종괴 ) 2cm 시 80% 악성가능성이 있다.**

  • **전구질환**

    ① Leukoplakia : 11-15% of Dysplasia, 3-5% Of Carcinoma

    ② Erythroplasia : In Situ or Invasive Cancer In 54-64%

# ■ 진단

## 1. 증상

| | | | |
|---|---|---|---|
| • Odynophagia | • 비폐쇄 (Nasal obstruction) | • Dysphagia | • Epistaxis |
| • 체중감소 | • Facial pain | • Loose dentation | • Cranial neuropathies |
| • Oral fetor | • 이차 감염 | • Trismus | • 흡입 (Aspiration) |
| • 이통 (Otalgia) | • 루형성 (Fistulization) | • 경부종괴 (Neck mass) | • 출혈 |
| • Serous otitis media | • 기도폐쇄 | | |

## 2. 경부 림프절 종대에서 악성을 시사하는 소견

| | |
|---|---|
| ① 40세 이상 | ⑥ 3주 이상의 Sore Throat |
| ② 장기간의 흡연, 음주 | ⑦ 치유되지 않는 궤양 |
| ③ 무통성의 경부종괴 | ⑧ 방사선 조사력 |
| ④ 기도 압박 증상 | ⑨ 두경부암의 과거력 |
| ⑤ 3주 이상의 Hoarseness | |

━━▶ 추가노트 ···········

☞ 두경부암의 빈도
  SCC(m/c: 88.9%) 〉선암 〉림프종

## 3. 진단을 위한 검사

- P/Ex, Indirect laryngoscopy, nasopharyngoscopy, bronchoscopy
- CT, MRI, scraping cytology, FNAB (96-100% accuracy)
- Barium swallowing, CXR (for R/O lung meta)

# ■ 치료

## 1. 수술

### 1. 근치 목수술 (RND : Radical Neck Dissection1, Radical Neck Dissection)

- SCM, IJV (Int. Jugular Vein), 11번 뇌신경, Submandibular Gland, Cervical Plexus, level I-V까지의 림프절을 제거한다.

### 2. 변형 근치 목수술 (MRND : Modified Radical Neck Dissection)

- 림프계이외의 구조물은 보존한다.
  └─11번 뇌신경, SCM 혹은 IJV

### 3. 선택적 목수술 (Selective Neck Dissection)

- classical RND에서 제거되는 림프성 구조물도 보존함
- 종류 : Supraomohyoid Dissection, Lateral Neck Dissection, Posterolateral Neck Dissection

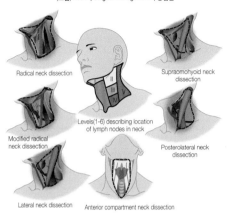

(그림) Neck의 Surgical Management의 방법들

Radical neck dissection

Supraomohyoid neck dissection

Levels(1-6) describing location of lymph nodes in neck

Modified radical neck dissection

Posterolateral neck dissection

Lateral neck dissection

Anterior compartment neck dissection

## 2. 방사선 치료

① 수술을 할 것인지 RTx를 할 것인지의 결정은 **일차종양의 치료방법**에 따른다.

> 즉, 일차종양을 **수술**한 경우 → 그 후에도 **수술**을 고려한다.
>
> 일차종양에 대해 **RTx**를 시행한 경우 → 그 후에도 **RTx**

② RTx 후의 **수술**은 Definitive RTx 후에도 **잔여질환**이 있을 경우 고려하자.

③ **수술 후의 방사선치료 (Ajuvant Radiotherapy)**를 시행하는 경우

> a. 종양의 **피막 밖으로 퍼짐 (extracapsular spread)**
> b. **신경주위** 침범 (perineural invasion)
> c. **혈관** 침범 (vascular invasion)
> d. 병변이 주변조직에 **고정(fix)**되어있을 때
> e. **다발성 양성 림프절시**

## 3. 항암 치료 : 절제가 불가능하거나 전이된 경우에 주로 한함

■■■■ ▶ 추가노트

cf) 방사선치료가 효과적이지 않은 경우
① large-volume
② low-grade neoplasm
③ 종양이 mandible에 인접한 경우(→ osteoradio- necrosis의 위험)

## NASOPHARYNX

① 두경부암중 원발병소의 증상보다 경부종괴를 주증상으로 하는 경우가 많다.

② 위험인자 : 호발지역 (남중국 등), 흡연, EBV감염

③ 치료 : 항암요법 + 방사선요법 ★

    (SCC & undifferentiated nasopharyneal tumor의 표준치료)

## 침샘 종양 (SALIVARY GLAND TUMORS)

• 두경부암 중 3-4%

    **주요 샘**: 귀밑샘 (parotid), 턱밑샘 (submandibular), 혀밑샘 (sublingual glands)

    **기타 샘**: submucosa of upper aerodigestive tract

• 악성을 시사하는 소견

> 급격한 성장, 통증, 마비, 피부근육 약화,
>
> 피부침범, 고정 Trismus
>        └── masseter나 pterygoid m. 침범과 관련

• **귀밑샘 종양 (Parotid gland tumor)** : 80% 양성 턱밑샘 및 혀밑샘 종양 > 50% 악성

• 침샘종양에 대한 치료는 **외과적 절제**이며, 방사선치료는 보조적으로 특수한 적응증에 해당할 때만
  (→ 두경부암의 방서선 치료 적응증과 동일) 시행한다.

(표) Major & Minor Salivary Gland tumor

| 양성 | 악성 |
|---|---|
| • Pleomorphic adenoma (m/c) | • Mucoepidermoid Carcinoma (m/c) |
| • Warthin tumor | • Acinic cell carcinoma |
| • Capillary hemangioma | • Adenoid cystic carcinoma |
| • Oncocytoma | • Polymorphous low-grade adenocarcinoma |
| • Basal cell adenoma | • Epithelial-myoepithelial carcinoma |
| • Canalicular adenoma | • Basal cell adenocarcinoma |
| • Myoepithelioma | • Sebaceous carcinoma |
| • Sialadenoma papilliferum | • Papillary cystadenocarcinoma |
| • Intraductal papilloma | • Mucinous adenocarcinoma |
| • Inverted ductal papilloma | • Oncocytic carcinoma |
| | • Salivary duct carcinoma |
| | • Adenocarcinoma |
| | • Myoepithelial carcinoma |
| | • Malignant mixed tumor |
| | • Squamous cell carcinoma |
| | • Small cell carcinoma |
| | • Lymphoma |
| | • Metastatic carcinoma |
| | • Carcinoma ex pleomorphic adeno |

# ■ 귀밑샘 종양 (Parotid Gland Tumor)

• 침샘종양의 85%

## 1. 특징

① 증상 : 잘 경계지어진 천천히 자라는 종괴. 10-15%에서만 통증 및 마비증상

② 진단

  • MRI : 가장 민감하나 양성, 악성을 구분하지는 못한다.

  • FNAB (Fine needle aspiration biopsy) : 악성도를 70-80% 진단가능

③ 귀밑샘 부위에서의 Facial n.의 분지들(5개 분지)

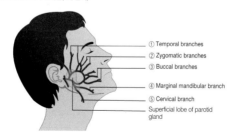

① Temporal branches
② Zygomatic branches
③ Buccal branches
④ Marginal mandibular branch
⑤ Cervical branch
Superficial lobe of parotid gland

■■■■ ► 추가노트

• facial n.에 대한 처리

  : 종양이 facial n.와 붙어있어도, 육안적으로 종양을 남기지 않고 dissection이 가능하면 신경을 보존하고, facial n.가 종양에 의해 둘러싸여있어 이를 남기면 육안적으로 종양을 남기는 결과를 초래하는 경우 신경을 절단한다.

7

④ 병리 :

| Pleomorphic adenoma |
|---|

- 가장 흔한 침샘종양 (40-70%)
- 40-50대에 호발
- 치료 : 완전절제 재발률 : 1-5%

| Mucoepidermoid carcinoma ★ |
|---|

: m/c 귀밑샘에서의 악성종양,
  10년 생존율 50%

### 2. 치료 【17】

- lat. lobe의 귀밑샘 종양 → Supf. parotidectomy
- deep lobe를 침범한 경우 혹은 악성종양 → Total parotidectomy

- 수술 (Parotidectomy) 후의 **합병증**

① 식사 시 환측성의 **발적** 및 **통증** → Trigeminal n. 손상
② 이마에 **주름**을 만들 수 없으면 → Facial n.의 Temporal br. 손상
③ 식사 시 환측부위 (preauricular area)의 비정상적인 **발한**을 호소
   (Frey's syndrome or gustatory sweating) → Auriculotemporal n. 손상

## ■ 턱밑샘 및 허밑샘 종양
## (Submandibular & Sublingual Gland Tumor)

- 턱밑샘에서 종괴가 만져질 때의 가장 흔한 원인 → 턱밑샘의 Ductal obstruction
- 50% 가량이 악성임. adenoid cystic carcinoma

① 진단 : 병력청취, X-ray (→ stone과 감별)
② 치료 : 절제
  ※ 턱밑샘 수술 시 조심해야 하는 신경
   : Facial n.의 marginal mandibular branch Lingual n. 및 Hypoglossal n.

▌▌▌▌▌▌▶ 추가노트 ..........................................

   cf) 참고로, 결석이 가장 많이 발생하는 타액선 → 턱밑샘

## ■기타 침샘 종양 (Minor Salivary Gland Tumors)

- 75%가 **악성임**
- Malignant Adenoid cystic adenoma (m/c)
- 경구개와 연구개가 만나는 부위 : 가장 많이 발생하는 부위

## 결핵성 림프염 (TUBERCULOUS LYMPHADENITIS)

- 만성림프염의 **가장 흔한 원인**
- 어느 연령대나 생길 수 있으나, 20-30대가 많다.

① **병리** : tubercle, caseation, fibrosis, giant cell, lymphocytosis, congregation, cold abscess, sinus, fistula

② **증상** : 피로, 식욕저하, 발열, 체중감소, 증상이 없이 경부 림프절이 만져짐

③ **진단** : FHx, CXR, skin test, 생검, acid-fast staining, 배양검사, PCR

④ **치료** :
- 1-2년간 **항결핵제 복용**
- **외과적 절제술 적응증 ★**

---

a. 다른 질환과의 **감별**을 위해

b. **농양**이 형성되어 병소 주위 피부의 **파열**이 있을 때

c. **누공**이 형성된 경우

d. 항결핵제복용 후에도 **크기 증가시**

---

# 02 유방질환
*Diseases of the Breast*

## 관련 해부학

① Total mastectomy는 breast를 pectoralis m.과 분리하는 것으로 retromammary space와 근육 위의 deep fascia가 포함된다.

② 림프절 level

> a. Level I : pectoralis minor의 **Lateral border** 쪽
> b. Level II : pectoralis minor **아랫쪽**
> c. Level III : pectoralis minor의 **Medial border** 쪽

※ 림프 배액은 axillary lymph node로 75%, internal mammary lymph node로 5%, 두 그룹이 동시에 가는 경우가 20% 이다.

※ Internal mammary, interpectoral (Rotter's) node는 central node의 침윤 없이 전이되는 경우는 드물다.

(그림) axillany LN의 Levels

Axillary vein

Pectoralis minor muscle

Latissimus dorsi muscle

Level I
Level II
Axillary nodesLevel III

Supraclavicular nodes

Intraclavicular nodes
Central axillary nodes

Internal mammary nodes

▶ 추가노트

cf) Rotter's node (Interpectoral group) : pectoralis major와 minor muscle 사이의 LN

③ 수술 시 손상받기 쉬운 신경 ★

  a. Long thoracic n. : Serratus ant. m. 지배

    손상 시 winged scapula ★

  b. thoracodorsal n. : Latissimus dorsi M.

    손상 시 Arm Internal rotation, adduction 장애

  c. Medial & Lat. pectoral nn. : Pectoralis major & minor mm. 지배

  d. Intercostal brachial n. : Upper arm의 undersurface 및 chest wall의 피부쪽 감각에 관여

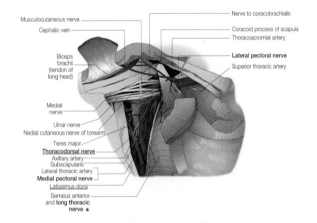

④ 현미경적으로는 기저막(Basement membrane)이 중요하다.

  • carcinoma in situ와 invasive breast cancer를 구분짓는 경계.

## Normal & Abnormal Physiology

### ■ Breast Pain

- 젊은 여성에서부터 폐경 후 여성까지 모든 연령대에서 발생 가능한 아주 흔한 증상
- 유방암 환자가 통증을 호소하는 경우 : 5.4%
- 젊은 환자의 breast pain은 menstrual irregularity 및 premenstrual Sx과 연관이 있다.
- Fibrocystic disease도 통증을 유발할 수 있다. 카페인의 과다복용 및 Nicotine or Antihistamine과 연관

### ■ 유방 섬유낭병(Fibrocystic Change)

- 40-50대에서 가장 흔하다.
- 촉지되는 결절, 압통 및 통증(특히 월경전)이 있고, **월경주기와 연관**된다.

### ■ 여성형 유방(Gynecomastia) [16]

| 10대 | 좀 더 고 연령층(50대 이상) |
|------|------------------------|
| 주로 Bilateral | Unilateral ★ |

① 관련 약제 :
  Digoxin, thiazides, estrogen, phenothiazine, Theophylline ★
② 관련 질환 : L/C, RF, Malnutrition ★
③ 관련된 종양 : Testicular Ca, HCC, Lung Ca, Adrenocortical Ca ★

※ 악성종양과 감별요
- 악성종양의 경우 nontender, asymmetric, fixed ★

cf. 사춘기에 생기는 여성형 유방의 경우 보통 안심시키는 것으로 충분하지만,
단측성 / 줄어들지 않는 경우 / 미용적 문제시 수술을 고려한다.

**(표) Gynecomastia의 Pathophysiological Mechanism**

I. Estrogen 과다 분비 상태
  A. 생식기 기원
    1. True hermaphroditism
    2. Gonadal stromal (nongerminal) neoplasms of the testis
      a. Leydig cell (interstitial)
      b. Sertoli cell
      c. Granulosa-theca
    3. Cerm cell tumors
      a. Choriocarcinoma
      b. Semonoma, teratoma
      c. Embryonal carcinoma
  B. 비생식기 종양
    1. Skin-nevus
    2. Adrenal cortical neoplasms
    3. Lung carcinoma
    4. Hepatocellular carcinoma
  C. 내분비 질환
  D. 간경화와 관련된 질환
  E. 영양학적 변화
II. Androgen 결핍 상태
  A. 고령에 따른 변화
  B. 저 안드로젠 상태 (hypogohadism)
    1. 일차성 testicular failure
      a. Klinefelter syndrome (XXY)
      b. Reifenstein syndrome (XY)
      c. Rosewater, Gwinup, Hamwi familial gynecomastia (XY)
      d. Kallmann syndrome
      e. Kennedy disease with associated gynecomastia
      f. Eunuchoidal males (congenital anorchia)
      g. Hereditary defects of androgen biosynthesis
      h. ACTH deficiency
    2. 이차성 testicular failure
      a. Trauma
      b. Orchitis
      c. Cryptorchidism
      d. Irradiation
      e. Hydrocele
      f. Varicocele
      g. Spermatocele
  C. 신부전
III. 약제와 관련
IV. 기전을 모르는 전신 질환시

 추가노트

★ Gynecomastia 의심시 관련 검사

- **Nipple Discharge**

  - Unilateral nonmilky discharge coming from one duct orifice is surgically significant and warrants special attention → Surgical Bx한다!

  - "관내유두종 (Intraductal papilloma)" ★★ (m/c),

    Fibrocystic change or Cystic mastopathy, Subareolar duct ectasis, "Carcinoma (5.9%)"

    : 단일 유두관에서의 spontaneous nipple discharge의 가장 흔한 원인

  - 병적 유두분비의 임상적 특징

    ① 압박을 하지 않아도 저절로 분비
    ② 단일 유관에서 분비
    ③ 지속적인 유두분비
    ④ 혈성 분비
    ⑤ 40세 이상인 경우
    ⑥ 만져지는 조오기나 영상의학 검사상의 이상 소견 동반

## 🔲 유방 질환의 진단

- **병력청취**

  - 월경, 출산, 수술유무에 대한 질문뿐만 아니라 가족력 및 약물복용도 확인

# ■ 위험인자★★★

**(표) 유방암의 위험인자**

---

① 수정 불가능한 인자
- 고령
- 여성
- 이른 초경 (12세 이전)
- 늦은 폐경 (55세 이후)
- 미분만부 (Nulliparity)
- 유방암의 가족력

- 유전적 소인(BRCA1 and BRCA2 mutation carrier)
- 전에 유방암의 병력
- 인종 (white women)
- 방사선 노출력

---

② 수정 가능한 인자
- 생식관련 요인
- 첫아이 출산시의 나이 (30세 이후)
- 산과력
- 수유 경험 없음
- 비만

- 알코올 섭취
- 흡연
- 호르몬치료
- 신체활동 부족
- 교대 근무

---

③ 조직학적 위험인자
- **증식성 유방 질환** (proliferative breast disease)
- **ADH** (Atypical ductal hyperplasia)
- **ALH** (Atypical lobular hyperplasia)
- **LCIS** (Lobular carcinoma in situ)

---

## 1. 나이

① **가장 중요한 위험인자**로, 나이가 증가할수록 증가한다.

② **성별**도 중요한 위험인자로 남성에선 여성의 1% 이하의 빈도를 보인다.

## 2. LCIS 및 개인력

① 한쪽 유방암이 생겼다면 반대쪽 유방에도 암이 발생할 위험이 증가한다.

② LCIS (lobular carcinoma in situ)

   a. 흔하지 않지만 폐경 전의 **젊은 여성**에서 빈도가 높다.

   b. 종괴를 형성하지 않으므로 다른 이유로 유방조직 검사시 **우연하게 발견**되는 경우가 대부분이다.

   c. 나중에 암으로 발전할 수 있으며 그중 **40%가 in situ병변**이며, 침윤성 병변의 대부분은 (lobular Ca)가 아닌 ductal Ca이다. 그리고 **병변이 생기는 부위가 양측모두 동일**하다. ★

---

**▶ 추가노트** ··········································································

☞ 즉 왼쪽 유방에 LCIS가 발생한 경우, 향후 암이 발생할 수 있는 부위가 왼쪽, 오른쪽 유방 각각 50%씩임.

d. LICS가 조직학적으로 진단되면 현재로서는 향후 엄격한 정기검진을 시행하는 **보존적 치료**를 시행한다.
5년 동안 tamoxifen을 복용하면 유방암 위험을 56% 낮출 수 있다는 보고가 있다. 물론 수술을 원하는
환자에게는 양측 유방절제술을 시행한다.

## 3. FCC (Fibrocystic condition)

① FCC는 아래와 같이 구분할 수 있다.

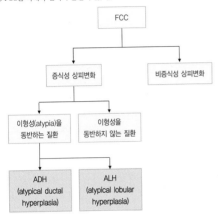

② ADH나 ALH의 경우 유방암이 발생할 가능성이 대조군보다 4-5배 높다.
(이때 가족력도 있으면 발생위험은 9배까지 증가한다.)

**(표) 유방암 발생의 조직학적 위험인자**

| 조직학적 진단 | 상대위험도 |
|---|---|
| • 비증식성 질환 | 1.0 |
| • 이형성(atypia) 없는 증식성 질환 | 1.3–1.9 |
| • **이형성**을 동반한 **증식성 질환** | 3.7–4.2 |
|    + 강한 **가족력** | 4–9 |
| • **LCIS** (lobular carcinoma in situ) | > 7 |

## 4. 가족력 및 유전적 요인

### ① 가족력

> a. 일차 친척 (어머니, 누이, 딸)간에는 2-3배 위험
>
> b. 좀 더 먼 친척간에는 위험도가 급격히 감소한다.
>
> c. 일차 친척이 폐경전 발병했거나 양측성 유방암일 때 위험도는 급증한다.

### ② 유전적 인자

• 5-10% 연관, 하지만 30세 이하의 유방암에선 25% 관련

• **관련 유전자**

| BRCA1 | BRCA2 |
|---|---|
| • chr17의 장완에 위치 (17q21) | • chr13에 위치 |
| • 40% familial breast Ca syndrome과 연관되며 이 외에도 난소암 (45%), 결장암 남성의 전립선 암과 연관된다. | • 30%의 familial breast Ca와 연관되며, **남성유방암**과 연관된다. |
| • 보통 ER/PR (−)이며, BRCA2와 관련된 유방암보다 **예후가 좋지 않다.** | • 난소암의 위험도는 **20-30%** 가량이다. |
| | • 남성의 전립선암 및 남성, 여성의 췌장암 & 후두암과도 연관된다. |
| • basal-like breast Ca 빈도가 높다. | • 유방암은 ER/PR (+)인 경우가 많다. |

## 5. Reproductive Risk Factors

### ① 12세 이전에 초경 ★

cf) 2년씩 초경이 늦어질 경우 10%의 유방암 위험이 감소한다.

### ② 30세 이후 첫아이를 낳은 경우

cf) 18세 이전에 분만한 경우 30세 이후에 분만한 여성보다 위험도가 절반임

### ③ nulliparity

### ④ 55세 이후 폐경한 경우 ★

▶ 추가노트

☞ Basal-like breast Ca

① ER (estrogen receptor) ② PR (progesterone receptor) ③ HER-2 (human epidermal growth factor receptor-2) 모두 음성인 유방암으로 high grade 종양이며, 좋지 않은 예후를 지니고 젊은 연령에 많다.

## 6. Exogenous Hormone 사용

a. **경구 피임제**의 사용(과거, 현재 모두)은 유방암의 위험을 높이지만, 사용중지 이후의 간격이 길어질수록 위험이 낮아짐

b. **HRT** (hormone replacement therapy)와 유방암과의 관련에선, **Estrogen과 Progesterone을 함께 5년간 사용하는 경우 유방암의 위험에 20% 증가함** (Estrogen 단독 사용의 경우는 차이가 없었음).

※ 위험 평가 (by Gail)
   연관된 인자들은,

> – **나이, 인종, 초경**시의 연령, **첫아이** 출산시의 나이
> – 전에 시행했던 유방**생검수**, 생검시의 **atypia 소견**
> – 유방암을 지닌 여성 **first-degree relative의 수**

→ 이렇게 고위험환자들은, close observation, tamoxifen (유일한 예방제) 및 필요시 prophylactic mastectomy 등의 방법으로 조치한다.

## ■ Physical Examination

### 1. 방법

• 생리 4-5일 후 시행한다. ★
• 조명이 좋은 방에서 환자가 앉은 자세에서 시진한다.
• 팔을 올리게 하거나, 가볍게 breast를 눌려보아 asymmetry 및 dimpling이 없는지 확인
• 팔을 올리게 하여 axillary LN 및 supraclavicular LN를 확인한다.
• 환자를 눕히고 팔을 머리 위로 올리게 한 뒤 breast mass 여부를 확인한다.
  : 유방암의 경우 **단단**하고 경계가 **불분명**하며, 주변조직과 **유착**되어 있다.

▶ 추가노트

☞ first-degree relative가 유방암을 진단받았을 때의 연령 (어릴수록), 부계 쪽 유방암 병력, ovarian ca.의 가족력 등은 유전적 소인과 관련이 있다.

## 2. 소견

- 무통성 종괴★, Aymmetries and skin change
- Nipple
  - Retraction ★ (Cooper's lig. 침범과 관련됨), nipple inversion 여부
  - Excoriation of the supf, epidermis in Paget's disease ★
  - "Edema of skin (Peau d' orange)" ★
    Emboli 및 종양세포에 의해 dermal lymphatic channel이 막힐 때 발생한다.

# ■ Biopsy

## 1. Fine-Needle Aspiration

- 22-gauge needle로 시행
- 제한점: solid mass에 적합하지 않음

## 2. Core Needle Biopsy 【16】

- 현재 유방병변에 대한 method of choice
- 초음파, 유방촬영술, MRI 영상 유도하에 시행
- 악성이 발견될 시에 조직학적 subtype과 receptor 상태 평가
- 중심침생검에서 DCIS로 진단된 10-20%의 환자에서 수술적 절제로 침습암이 발견됨

## 3. Open Biopsy

- Incisional & excisional biopsy
- 비용 및 definitive surgery의 지연으로 인해 덜 사용됨
- 영상소견과 침생검에서의 결과가 일치하지 않을 때 필요

## BREAST IMAGING

- Mammography가 무증상 여성에서 screening의 primary imaging modality이다. 【15】
  (단, 유방의 치밀도에 따라 10-15%의 유방암은 발견 안됨)
- Ultrasonography는 유방암의 선별검사로서는 적절하지 않으며, 유방촬영술(mammography)에서 발견된 병변이 solid한지 cystic한 지 평가하는 경우와 치밀 유방의 검사에 유용하다. 【12】
- MRI는 액와림프절 전이나 Paget disease가 있으나 유방촬영술 및 영상검사에서 이상소견이 없는 경우, 젊은여성의 치밀 유방, 여러 부위의 암, 침습성 소엽암(invasive lobular cancer)의 진단에 유용하다.

### ■ Nonpalpable Mammographic Abnormalities ★

- P/Ex으로 발견되지 않는 Mammongraphic abnormalities 종류
  a. Microcalcification only
  b. Abnormal density
     (e.g. masses, architectural distortions, asymmetries)

### ■ BI-RADS(The Breast Imaging Reporting and Data System) 【13】

- 유방촬영술에서 이상소견에 대해 악성 가능성의 정도를 카테고리화한 것

**(표) BI-RADS(The Breast Imaging Reporting and Data System)**

| Category | Definition |
|---|---|
| 0 | 부적절한 평가 – 추가적인 영상검사나 이전 유방촬영술과의 비교가 필요 |
| 1 | 음성 – 정기적인 유방촬영 |
| 2 | 양성소견 – 1년마다 정기적인 유방촬영 |
| 3 | 양성의 가능성이 높음 ((2%의 악성도) – 단기간의 follow-up이 필요함 |
| 4 | 이상소견이 의심됨 (2~95%의 악성도) – 조직검사가 고려되어야 함 |
| 5 | 악성을 강하게 시사함 ()95%의 악성도) – 적절한 조치가 필요함 |
| 6 | 생검으로 확진된 악성 |

## ■ 유방암 선별검사 [14]

**(표) 유방암 검진 프로그램**

| | 유방암 검진권고안 | | 유방암 검진프로그램 | |
|---|---|---|---|---|
| 검진대상 | 검진방법 | 검진주기 | 검진방법 | 검진주기 |
| 30세 이상 여성 | 유방자가검진 | 매월 | 유방자가검진 | 매월 |
| 35세 이상 여성 | 유방임상진찰 | 2년 | | |
| 40세 이상 여성 | 유방촬영술 | 2년 | 유방촬영 | 2년 |

Cf. 국립암센터와 한국유방암학회의 유방검진 권고안은 다소 차이가 있음

† 2015년 새로 발표된 유방암 검진 권고안에서는 40세이상 연령대에서 유방촬영술과 함께 권고되었던 유방
임상진찰이 권고항목에서 빠졌고 기존에는 없던 검진종료연령(69세까지)이 추가됨

## ▨ 유방의 양성질환

### ■ 유방낭종 (Breast Cyst) ★ [16]

• 35세 이후 나타나 폐경 때까지 발생빈도가 증가하다가 폐경 이후 급격히 감소

• Ovarian hormone의 영향

→ 월경주기 도중 갑자기 발생하여 급격히 증가한 뒤, 월경이 끝나면 저절로 감소한다.

• 3,000명 이상의 Breast cyst에서 Cancer는 오직 3명에서만 나타남 (0.1%) → **악성도 없음!**

• 보통 신체검진에서 만져지는 덩어리로 오게되며, aspiration이나 초음파로 확인된다.

• aspiration 후 사라지거나 흡인된 내용물이 혈성이 아니라면 cytology는 필요 없다.

### ■ 유방선종 (Fibroadenoma & Related Tumors) [12]

#### 1. 특징

• 구성요소 : stromal, epithelial 성분으로 구성됨

• **유방 다음으로 가장 흔한 유방종양**이며, 30세 이하에서 가장 흔한 종양임★

• 보통 잘 움직이고 수개월에 걸쳐 사이즈가 증가하기도 하는 단단한 덩어리로 나타남

• Fibroadenoma는 악성도가 없지만 fibroadenoma의 구성요소인 **epithelial element**는 유방의 다른 부위의
epithelial element와 동일한 악성도를 지닌다. 즉, Preexisting fibroadenoma에서 100예 이상의
Carcinoma가 보고되었는데, 각 빈도는, "LCIS" (Lobular Carcinoma In Situ, 50%) > invasive carcinoma (35%)
> "Intraductal Carcinoma" (15%)였다.

#### 2. 치료

• **절제 (Excisional Bx)** ★

• 조직학적으로 확인된 경우 안심시키고 절제는 필요하지 않을 수 있다.

■ Juvenile Fibroadenoma, Giant Fibroadenoma

- Giant Fibroadenoma : > 5cm

- Juvenile Fibroadenoma

  : 젊은 여성에서 발생하는 large fibroadenoma로 세포 성분이 많다.

  : 크기가 매우 빨리 자라나지만, 수술적 제거로 완치 가능하다.

■ Breast Abscess & Infections

**1. Breast Abscess 【15】**

① 원인 : Subareolar duct 확장 및 폐쇄로 세균증식이 조장되어 발생함.

② 치료 : 항생제, 배농이 필요 - 처음에는 needle aspiration을 시도하고, 그래도 낫지 않는 경우에는 절개배농
을 시행한다.

**2. Mastitis**

① 정의 : 좀 더 광범위한 cellulites로서 많은 유방조직술을 침범하지만 농양을 형성하지 않은 상태이다.

② 균의 경로 : subareolar duct → nipple (즉, **ascending infection**임)

　　　　　　균주는 Staphylococci (SA★ m/c pathoger), Streptococci

③ 치료 : 보존적 치료 즉, <u>Local measures</u> + Antibiotics

　　　　　　└ heat, ice acks, mechanical breast pump

※ Inflammatory carcinoma와 감별해야 함.

※ 수유기간에 발생 시 **수유를 중단하지 말고** 수유를 계속해 유즙을 계속 배워내는 것이 좋다 ★

■ Papilloma & Related Ductal Tumors

① 소견 : Bloody nipple discharge + 유륜주변하방에 종괴 촉진

② 치료 : circumareolar incision로 완전절제한다.

■ Screrosing Lesions 【17】

- Sclerosing adenosis, Radial scar & Fat necrosis 등이 있으며, 보통 **석회화** 소견을 지니며, 악성도는 없거나
낮다.

cf) "Sclerosing adenosis"는 유방촬영술 상에서의 **미세 석회화**를 미세 바늘 생검했을 때 **가장 많이 보이는 소견**
이다. 또한 "Radical scar"는 유방촬영술에서 irregular spiculation을 보여서 악성처럼 보이는 경우가 있
다. "Fat necrosis"는 **유방외상** 후에 생길 수 있다.

## ■ 유방의 악성질환

■ 유전

- 유방암 원인의 5-10%가 유전적 원인이다. 나이 **30세 이전** 유방암의 **25%**가 유전적 원인

- 관련유전자

| BRCA1 | BRCA2 |
|---|---|
| **17번** 염색체에 위치 | **13번** 염색체에 위치 |
| 유방암, 난소암과 관련 | **유방암만** 관련 |

cf) 종양 유전자 검출시 위험환자의 질환발현율이 **50-60%**이며, BRCA 유전자를 가진 사람의 유방암 발생 위험이 높기 때문에, 예방적 절제술은 합리적인 선택이 될 수 있다.

■ 유방암의 Chemoprevention

- Tamoxifen은 ER (+)환자의 침윤성 유방암 위험도를 **49%** 줄임
- 5년간 사용
- 부작용 ★

> ① 자궁내막암 (2.5배), 간세포암
> ② Stroke, 폐색전증, DVT
> ③ 안과적 합병증 (ex 백내장)

■ 병리

**(표) 원발성 유방암의 종류**

| Noninvasive Epithelial Cancers | |
|---|---|
| • DCIS | • LCIS |
| **Invasive Epithelial Cancers** | |
| • Invasive lobular carcinoma (10%) | • Invasive ductal carcinoma |
| **Mixed Connective and Epithelial Tumors** | |
| • Phylloides tumors | • Carcinosarcoma |
| • Angiosarcoma | • Adenocarcinoma |

## 1. 비침습성 유방암 (Noninvasive Breast Cancer)

A. DCIS (Ductal cell carcinoma in situ)

- 아형

 a. Solid or Comedo type: m/c & more virulent

 b. Papillary or Cribriform type: calcification, mass 형성이 많지 않다.

B. LCIS (Lobular cell carcinoma in situ)

- 악성종양이라기 보다는 유방암의 위험인자임.
- 종괴를 형성하지 않음 (∴ P/Ex으로 진단되지 않는다)
- mammo.상 아무소견 없음 (No mass density or calcification)

 → ∴ 다른 조직검사결과에서 incidental하게 나오는 경우가 대부분

## 2. 침습성 유방암 (Invasive Breast Cancer)

A. Invasive Ductal Cancer (50-70%)

- 흔히 보이는 유방암
- mass decsity + Microcalcification

B. Invasive Lobular Cancer (10%)

- 조직소견 : single-file pattern

 → stromal tissue으로의 small round cells 침윤소견

- mammo.상 특이소견 없음.
- 치료 : Ductal Carcinoma의 치료와 동일하고 예후는 더 좋다.
- Bilateral Ca 및 second primary contrat. breast Ca 빈도 높다.

## 3. 기타 유방종양

## ■ 병기 [12]

- 림프절 침범과 비례하여 생존율이 감소한다. ★
- Stage IV의 경우 평균 생존율은 24개월 이하이다. (5년 생존율 약 22%)

## 유방암의 병기

TNM staging

**T (Primary tumor)**

Tis : Carcinoma in situ (lobular 혹은 ductal 혹은 Paget)

T1 : Tm ≤ 2cm (장경기준)
- T1mi : Tm ≤ 0.1cm
- T1a : 0.1 cm ≤ Tm ≤ 0.5 cm
- T1b : 0.5 cm 〈 Tm ≤ 1.0 cm
- T1c : 1.0 cm 〈 Tm 〈 2.0 cm

T2 : 2.0cm 〈 Tm ≤ 5.0 cm

T3 : Tm 〉5.0 cm

T4 : 크기와 상관없이 **흉벽** (a), **피부** (b) 등으로의 침범이 있는 경우★ 유방암의 진행된 소견 ★
- T4a : 흉벽으로의 침범이 있지만 흉근으로의 침범은 없는 경우★
- T4b : 피부로 종양이 퍼져서 궤양, 부종이 있거나 위성결절(satellite nodules)이 있는 경우★
- T4c : T4a와 T4b를 모두 지난 경우
- T4d : 염증성 종양★

**N (Regional Lymph Nodes)**

N0 : 국소림프절 전이 없음

N1 : 1-3개의 AN 전이시 | N1 : 생검상 IMN전이시
- N1(mic) 미세전이시 ()0.2 mm, none)2.0 mm) | - N1b : N1b ; sentinel 생검상 IMN 전이시
- N1a : 1-3개 액와 림프절 전이 (적어도 하나는 )2.0 mm)
- N1c : N1a+N1b | - N1c : N1a+N1b

N2 : 4-9개 AN 전이 | N2 : AN 전이가 없고, 임상적인 IMN 전이시
- N2a : 4-9개 AN 전이, | - N2b :
  적어도 1개)2mm | AN 전이(-) + 임상적인 IMN 전이

N3 : 10개 이상의 AN 전이
혹은 infraclavicular(Level III) nodes 전이
혹은 Level I, II 의 AN 전이와 함께 이상적으로 동측의 IMN 전이
혹은 AN 전이 )3개와 함께 생검으로 확인된 IMN 양성
혹은 동측의 supraclavicular LN 전이

**M (Metastasis)**

M0 : 원발 전이가 없을 때

M1 : 원발 전이가 있을 때

---

**▶ 추가노트**

AN (Axillary node) = 액와 림프절
IMN (Internal mammary node) = 내측 유방 림프절
N0는 국소림프절전이가 없는 상태이며 IHC (immunohistochemistry) 검사 및 PCR검사결과에 따라 아래와 같이
세분화될 수 있다.
- N0 (i-) IHC에서 음성일 경우 | - N0 (mol-) PCR 음성시
- N0 (i+) 종양세포의 크기가 0.2mm이하인 경우 | - N0 (mol+) PCR 양성시

(표) 유방암의 Stage Grouping

| Anatomic stagew | Prognostic group | | | Anatomic stagew | Prognostic group | | |
|---|---|---|---|---|---|---|---|
| 0 | Tis | N0 | M0 | ⅢA | T0 | N2 | M0 |
| ⅠA | T1 | N0 | M0 | | T1 | N2 | M0 |
| ⅠB | T0 | N1mi | M0 | | T2 | N2 | M0 |
| | T1 | N1mi | M0 | | T3 | N1 | M0 |
| ⅡA | T0 | N1 | M0 | | T3 | N2 | M0 |
| | T1 | N1 | M0 | ⅢB | T4 | N0 | M0 |
| | T2 | N0 | M0 | | T4 | N1 | M0 |
| ⅡB | T2 | N1 | M0 | | T4 | N2 | M0 |
| | T3 | N0 | M0 | ⅢC | AnyT | N3 | M0 |
| | | | | Ⅳ | Any T | Any N | M1 |

cf. 유방암의 나쁜 예후인자: 종양크기〉2cm, poor histologic & nuclear grade, 호르몬수용체(-), HER2/neu (+) 등

# 유방암에 대한 현대적 치료방법들

## ■ 유방암 치료에 대한 연구들

**■ Radical mastectomy와 다른 방법을 비교한 연구 (NSABP Trial B-04)**

> 1. 국소치료에 따라 국소치료 실패는 영향을 받지만, distal Tx failure빈도나 전체 생존율에는 차이가 없다
> 2. axillary node 치료시기 및 방법이 생존에 영향을 주지 않는다.
> 3. 유방암치료에 대한 평가는 5년 뒤 적절하게 평가될 수 있다.
> 4. 일차암의 위치가 생존에 영향을 주지 않는다.

※ 유방암에 대한 근치적 절제 후에도 많은 환자들이 재발을 경험한다. 이에 좀더 광범위한 절제술을 시행했지 만 생존율을 향상시키는데 실패했다.

이러한 경험을 바탕으로 유방암은 병소에서 **"centrifugal"** 하게 주위조직으로 파급될 뿐만 아니라 림프계 및 혈 류를 따라서 원발부위로 **"embolical"** 하게 파급된다는 결론을 얻게 되었다.

따라서, 유방암의 치료지침은 아래와 같다.

| 유방암의 국소 질환적 측면의 치료 | → | **수술적 절제, 방사선치료** |
|---|---|---|
| 유방암의 전신 질환적 측면의 치료 | → | **약물치료 (항암요법, 호르몬요법)** |

**■ 유방 보존 수술과 Total mastectomy를 비교했을 때, 유방 보존 수술후 방사선치료를 병행한다면 재발률 및 전체 생존율에 차이가 없다.** 유방 보존 수술 시는 negative margin을 확보하는 것이 중요하며, 수술 후 재발시엔 재발 부위를 절제하여 역시 clear margin을 확보한다.

**▶ 추가노트**

cf) 국소치료
   - 수술, 방사선치료

# ■유방암에서의 수술적 계획 및 과정

## 1. 진단

① 영상검사의 도움을 통한(imaging-guided) core Bx가 가장 좋은 진단방법이다.

② 조직검사를 통한 정보 : histologic type & grade, ER및 PR상태, HER-2상태, 림프계 및 혈관침범 유무

③ 간, 폐 및 뼈 등으로 원발 전이를 할 수 있으므로 임상적으로 의심이 되는 액와림프절 양성환자에서는 CT, bone scan, chest PA 및 breast MRI 등의 검사를 시행할 수 있다.

## 2. 유방보존수술의 적합도 평가

유방보존수술은 환자의 만족도가 높고 적절하게 시행될 경우 10년 재발율이 5% 이하이므로 우선적으로 고려해야 한다.

1. **유방보존수술**을 우선적으로 고려해야 하는 경우 ★

| ① 종양크기 | • 종양이 clear margin을 확보하면서 acceptable cosmetic result을 지니고<br>절제될 수 있는 크기 |
|---|---|
| ② 경계 | • 적절한 margin의 폭에 대해 다양한 의견, 'no ink on tumor' |
| ③ 조직소견 | • Invasive lobular Ca 혹은 광범위한 intraductal component를 지니는 경우 (clear margin 확<br>보 된다면) 단, 절제연에서 보이는 atypical hyperplasia 및 LCIS는 재발율을 증가시키지 않는다. |
| ④ 환자연령 | • **젊은 여성**의 경우 **국소 재발율**이 고령에 비해 **높은 편**이다.<br>모든 연령층에서 **방사선요법**을 시행하여 **국소재발율을 낮춘다.** |

2. **유방절제술(Mastectomy)**이 더 적합한 경우

| ① 유방크기에 비해 종양크기가 큰 경우 |
|---|
| ② 유방조영검사상 **광범위한 석회화(calcification)**소견 |
| ③ 유방보존수술로 종양없는 절제연을 확보하기 힘든 경우 |
| ④ **방사선치료의 금기증**<br>　• 절대적 금기<br>　　- 임신 (단, 출산 후 방사선치료를 받을 수 있다.)<br>　• 상대적 금기<br>　　- 전신 피부경화증(Systemic scleroderma)　　　- 중증의 심질환(단, 종양이 좌측에 있는 경우)<br>　　- 활동성 루프스(SLE)　　　　　　　　　　- 바로누운자세(supine)를 할 수 없는 경우<br>　　- 전에 유방 또는 흉벽에 방사선치료를 받은 경우　- 치료받는 쪽 팔을 벌릴(abduct) 수 없는 경우<br>　　- 중증의 폐질환　　　　　　　　　　　　- p53 mutation(radiation-induced cancer에 취약) |
| ⑤ 환자가 유방절제술을 원하며 방사선치료를 거부할 경우 |

③ 유방절제술후의 재건술

| 즉각적인 재건술 | 지연성 재건술 |
|---|---|
| • 즉각적인 재건술이 거의 대부분의 경우에 선호된다.<br>• 유방의 피부를 최대한 보존할 수 있어 재건에 용이하다.<br>• 즉각적인 재건술이 환자의 생존율 및 국소재발에 좋지 않는 영향을 미치지 않는다. | • 유방절제술 후 방사선치료를 받아야 하는 경우 및 국소적으로 진행된 유방암의 경우 고려할 수 있다. |

## 3. 수술 과정

① Simple and Modified Radical Mastectomy

| Simple or Total Mastectomy | Modified Radical mastectomy |
|---|---|
| • nipple 및 유륜(areola)를 포함한 유선조직의 완전절제<br>• sentinel node 생검이 추가될 수 있고 이를 유방절제시의 절개선 혹은 또다른 절개선을 가해서 시행할 수 있다. | • nipple 및 유륜(areola)를 포함한 유선조직의 완전절제 + Axillary lymph node dissection (ALND) |

### (그림) 유방절제술

A. 유방절제술에서의 절개선은 그림과 같이 유륜 및 nipple을 포함한다.

B. 단순 유방절제술에서는 유방조직을 액와 구조물로부터 분리하고 clavipectoral fasica에서 절제를 멈춘다.

C. MRM의 경우 액와부위까지 절제를 계속해서 axillary vein까지 진행하며 level I, II에 있는 림프절을 절제한다.

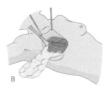
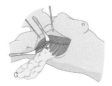

② 유방보존수술 (Wide local excision and RTx)

- 유방의 원발병소를 제거한다. 제거 후 margin에서 조직검사를 시행하여 종양양성시 재절제한다.
- 액와 림프절에 대한 치료

| 임상적 액와림프절 **양성**시 | 임상적 액와림프절 **음성**시 |

• 별도의 절개선으로 axillary dissection 시행한다.

• 별도의 절개선으로 sentinel node 생검을 시행한다.

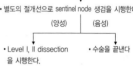

        (양성)      (음성)

• Level I, II dissection 을 시행한다.    • 수술을 끝낸다

**(그림) 유방보존수술**

A. 종괴 바로 위쪽으로 절개선을 가해 종괴를 절제한다. (parenchymal defect는 inset으로 닫기도 한다)
B. 겨드랑으로 transverse하게 절개선을 가해 sentinel node를 생검한다.

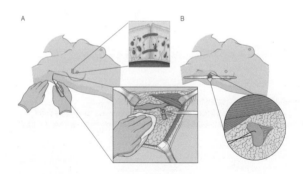

 ▶ 추가노트

☞ 유방을 보존하며 원발종양을 절제하는 수술은 lumpectomy, partial mastectomy, segmentectomy 등 다양하게 불리는데 wide local excision이라는 표현이 현재로서는 가장 많이 이용된다.

## 4. 액와부위에 대한 외과적 staging

① Axillary dissection은 높은 이환율(morbidity)을 지니므로 액와 림프절에서 결절이 촉진되지 않은 환자에게선 sentinel node생검이 axillary dissection을 대치하게 되었다.

② technetium-radiolabeled sulfur colloid particle이나 청색조영제(Isosulfan blue) 등으로 종양부위 및 subareolar area에 주입한 뒤 이 조영제가 림프계를 거쳐 처음에 도달하는 림프절으로 동측 액와 림프절에 해당한다.

③ Sentinel node 생검의 **false-negative rate는 5% 이하이다.** 즉, sentinel node 생검상 **음성시 비교적 높은 신뢰를** 가지고 액와 림프절 전이가 없다고 할 수 있다.

④ sentinel node생검에서 **양성인 절반 정도 환자에서** 다른 부위의 양성 림프절 소견을 보인다. 즉, sentinel node절제만으로 수술이 완전하지 못하므로 **level I, II 림프절절제를** 시행해야 한다. sentinel node 생검 양성시 다른 부위의 림프절 전이 가능성은 **원발암의 크기, 림프혈관전이 유무 및 전이된 림프절 크기와** 상관관계를 지닌다.

## DCIS (Ductal Carcinoma In Situ or Intraductal Carcinoma)

### 1. 진단

① 대부분 선별 유방촬영(screening mammogram)에서 촉진되는 종괴가 없는 clustered calcification소견을 보인다.

② invasive ductal carcinoma의 전구병변에 해당한다.

③ 치료(예후)에 영향을 미치는 **인자**

> 병변의 **크기**(extent), **조직학적 등급**(histologic grade), **ER상태, microinvasion**의 존재 및 환자의 **연령**

━━━▶ 추가노트

☞ 이 외에도 DCIS의 유방촬영소견은
- 석회화 + 종괴음영 : 15%
- 종괴음영만 나타나는 경우 : 10%

DCIS의 유방촬영상 보이는 **석회화**는 밀집된 군집(cluster) 및 선형(linear) 및 가지형(branching) 등 다양한 모양으로 나타나며 병변이 ductal origin임을 시사한다.

## 2. 치료 [14]

1. Treatment of Choice

"BCS" (Breast-conserving surgery) ± **Sentinel node 생검**
└ Wide local excision + RTx

+

"Tamoxifen"
└ ER양성시

2. **유방절제술** - 유방보존수술이 적절치 않을 때의 치료

① 적응증

a. 유방조영검사상 병변이 **미만성**(diffuse)인 경우 - 광범위한 병변이 의심되므로 BCS로 부적절하다

b. BCS로 clear cut **margin을 확보**할 수 없는 경우

c. BCS후 **poor cosmetic result**가 예상되는 경우

d. 환자 자신이 유방보존을 원치 않는 경우

e. **방사선 치료의 금기증**시(앞 내용 참고)

② Sentinel node 생검을 함께 시행한다.

━━━▶ 추가노트

☞ DCIS는 정의상 병변이 basement membrane 이하를 침범하지 않은 종양으로, 액와 림프절전이가 없어야 한다. 하지만 실제로 3.6%에서 액와 림프절 전이 소견을 보인다. 이는 병리조직상 microinvasion을 발견하지 못했기 때문으로 생각된다.
따라서 액와 림프절에 대한 처치는 다음과 같다.

병변크기가 유방촬영시 작은 경우
→ Sentinel node생검이 필요없다.
병변크기가 유방촬영시 크거나, 조직학적으로 high-grade histology 및 microinvasion이 의심되는 경우
→ sentinel node 생검을 시행한다.

☞ Tamoxifen은 특히 positive margin, comedo necrosis, 신체검사시 종괴가 있는 경우 및 50세 이하의 여성에서 효과적이다.
Tamoxifen부작용으론 자궁내막암(Endometrical Ca), 혈전색전증(thromboembolic events), hot flashes 및 백내장(cataract) 등이 있다.

# 방사선 치료

## 1. BCS후의 방사선 치료 [17]

• BCS를 시행한 경우 **반드시 방사선 치료**를 해야함 ★

• 전체 유방에 4,500-5000 cGy 방사선 치료함
• 1000-1200 cGy를 tumor bed에 booster한다.
• 6-7주 소요

• tumor bed주위의 유방조직에만 방사선을 조사함

• 4-5일 소요

## 2. 유방절제 후의 방사선 치료

- 적응증은 "국소 재발 위험"이 증가하는 경우이다.

① 4개 이상의 액와림프절 전이시

② 림프절 전이 외 Stage III의 특징을 가지는 경우 (ex. tumor size 큰 경우)

③ Stage II 환자의 경우 다음과 같은 경우에만 방사선 치료를 고려
　a. extracapsular extension
　b. lymphovascular invasion
　c. 40세 이하
　d. close surgical margin
　e. nodal positive ratio(절제 후 평가된 전체 node에서 양성인 비율) 20% 이상
　f. Level I과 II 액와 림프절을 표준적으로 절제하지 못한 경우

▶ 추가노트

☞ 방사선 치료는 국소치료(local treatment)에 해당한다.

# 특별한 치료들

### ① 국소적으로 진행된 유방암

병기 IIB, IIIA, IIIB에 해당한다. 즉, 크기가 크거나() 5cm), 흉벽, 피부 침범, 피부 괴양 및 위성결절(satellite skin nodule), 염증성 종양, 크거나 고정된 액와 림프절 및 임상적으로 저명한 internal mammary 혹은 supraclavicular node 침범시

### ② 염증성 유방암 ★ 【14】

a. 종양이 유방과 그 위 피부조직내에 있는 **림프조직**(lymphatic channel)에 미만성 침윤이 있는 상태

b. 임상적으로 **림프 흐름차단**으로 인해 **발적, 부종** 및 **열감의 소견**을 지닌다.

c. 이 질환의 명칭은 임상적인 명칭으로 병리적으로는 ductal 혹은 lobular 병리소견을 보일 수 있다. dermal lymphatics에 종양세포가 관찰되는 것이 병리적 특징이다.

d. skin thickening 외에는 유방촬영술에서 별 이상을 보이지 않는 경우가 많다.

### ③ 치료: Multimodality Tx ★

전신항암요법 (neoadj. or adj.) + 수술 + 방사선 치료 + 호르몬 요법 (ER양성인 경우) + Trastuzumab (HER-2 양성인 경우)

---

**추가노트**

☞ 국소적으로 진행되어있으나 원발전이 소견이 없는 경우로 향후 전신전이 위험이 높으므로 국소적 및 전신적 재발가능성에 대한 치료를 해야 한다.

☞ Peau d' orange ★
염증성 유방암시 관찰되는 hair follicle 부위의 부종 및 dimpling으로 인한 귤 껍질모양의 임상양상

☞ 수술 전 항암 및 호르몬 요법을 받으면 종양크기가 50~80%가량 감소되며 10~15%에서는 영상검사 및 진찰 상 complete remission소견을 보인다.

## 2. Paget's disease

### 1. 소견

#### ① 육안소견

nipple erythema가 있으면서, mild eczematous scaling 및 flaking이 보이며, 심하면 nipple crusting, skin erosion 및 ulceration 소견도 보인다.

#### ② 조직소견

Paget's cells이 nipple 아래의 lactiferous sinus를 통해 퍼지고 위로는 epidermis로 올라온다.

하지만 dermal basement memb.는 침범하지 않으므로 carcinoma in situ에 해당한다.

### 2. 특징

- 95%이상의 Paget's disease 환자가 "내부에 유방암"을 지닌다.
- 종괴를 지닐 수도 있고 (50%이상), 지니지 않을 수도 있는데 종괴와 Paget's disease를 지니는 환자의 90% 이상에서 침습성 유방암이 확인된다.

### 3. 치료

① 유방절제술 + axillary staging

② 유두와 유륜부를 clear maring을 확보하며 절제한 후 axillary staging 및 RTx 시행한다.

(많은 경우 lumpectomy + RTx시행할 수 있다)

## 3. 남성 유방암

- 모든 유방암의 0.8%

### 1. 특징

#### ① 위험인자

a. 나이 (고령시 증가)

b. 방사선 노출력

c. estrogen, androgen 불균형

ex. 고환 질환, 불임, 비만, 간경화

d. 양성 유방질환

ex. nipple discharge

e. 유전적인자

ex. Klinefelter syndrome, FHx, BRCA2

▶ 추가노트

★ Paget's disease의 진단: incisional biopsy

② 진단시 연령은 여성에 비해 10년 뒤임.

　→ 이런 진단의 지연으로 인해 더 진행된 상태로 병원에 오게 된다.

③ 유방조직이 적기 때문에 pectoralis major m.을 잘 **침범**한다.

④ 흔히 Steroid hormone receptor를 지닌다. ★

　즉, 80%에서 ER(+), 75%에서 PR(+), 35%에서 HER2/neu(+)

## 2. 치료

① 작고, movable mass시 : 국소 절제 + 방사선 치료

② 그외엔 MRM 시행한다.

　• Pectoralis m. **침범시 침범된 근육을 절제하고 방사선 치료를 추가하자.**

③ 보조적 치료

　• 대부분 호르몬수용체(+)이기 때문에 림프절 양성 환자 및 고위험 림프절 음성환자에서 Tamoxifen 및 aromatase inhibitor를 사용할 수 있다.

　• 전이위험이 큰 경우 보조적 항암치료를 추가할 수 있다.

━━━▶ 추가노트 ......................................................

　cf) Gynecomastia는 위험인자가 아니다.

## 유방암에서의 전신요법 [13]

(표) 유방암에서의 전신요법의 결정 ★★

| 병기 | 약물요법 | 코멘트 |
|------|----------|--------|
| I기 ( ＜ 1cm) | | Genomic test 고려 |
| ‒ HR 양성 | • 내분비치료 ± 화학요법 | |
| ‒ HR 음성 | • 화학요법 고려 | |
| ‒ HER-2 양성 | • Trastuzumab-based 화학요법을 강력히 고려할 것 | |
| I기 ( ＞ 1cm) | | Genomic test 고려 |
| ‒ HR 양성 | • 내분비치료 ± 화학요법 | |
| ‒ HR 음성 | • 화학요법 | |
| ‒ HER-2 양성 | • Trastuzumab-based 화학요법 | |
| II기 (림프절 음성) | | Genomic test 고려 |
| ‒ HR 양성 | • 내분비치료 ± 화학요법 | |
| ‒ HR 음성 | • 화학요법 | |
| ‒ HER-2 양성 | • Trastuzumab-based 화학요법 | |
| II기 (림프절 양성), III기 | | |
| ‒ HR 양성 | • 화학요법 + 내분비치료 | • 내분비치료는 모든 환자에게서 권고됨 |
| ‒ HR 음성 | • 화학요법 | • 화학요법에 대한 결정은 현재 진행 중인 임상연구에 결과에 영향 받을 수 있음. |
| ‒ HER-2 양성 | • Trastuzumab-based 화학요법 | • Dual HER-2 표적치료를 이용한 Neoadjuvant CTx, 를 고려 |

## ■ 항암화학요법

### 1. 항암화학요법의 개요

항암화학요법 ‒
→ Non-Trastuzumab-based Regimens : anthracycline, taxanes, Cyclophosphamide, 및 5-Fu 등을 주로 이용함

→ Transtuzumab-based Regimens : Transtuzumab가 Non-Transtuzumab-based regimens에 추가됨

• Taxane (e.g. parclitaxel, docetaxel) 이나 anthracycline (e.g. doxorubicin, epirubicin)을 포함한 화학요법은 유방암 사망율을 약 1/3 정도 줄임.

- Transtuzumab는 HER-2 receptor의 세포외 도메인을 target으로 개발된 monoclonal Ab임.
- HER-2 유전자 및 단백질의 amplification이 **"유방암환자의 25-30%"** 에서 나타남.
- Trastuzumab-based CTx.는 전이성 유방암 환자의 생존율을 증가시킴.

## 2. 수술가능한 유방암에 대한 Neoadjuvant Chemotherapy

### 1. 수술전 항암요법의 효과

① 수술적 절제불가능한 병변을 절제가능한 병변으로 바꿀 수 있다.

② 유방보존수술이 불가능한 병변을 유방보존수술이 가능하게 바꿀 수 있다.

### 2. 수술전 항암요법의 이론상의 이점

① microscopic metastatic disease를 줄인다.

② drug resistance가 발생하기 전에 치료한다.

③ 수술로 인해 vascular system이 손상받기 전이므로 효과가 좋다.

④ in vivo에서 해당 항암요법에 대한 반응을 평가할 수 있다.

## ■ 내분비 치료

### 1. Tamoxifen 【16】

- 선택적인 estrogen receptor modulator로서 에스트로젠에 대해 antagonistic 기능 및 약한 agnonistic function을 지님
- 5년간 치료시 Hormone receptor 양성환자의 재발가능성을 41% 낮춤
- 폐경 유무 및 림프절전이여부와 **"상관없이"** 치료효과가 동일함.

---

**▶ 추가노트**

① ER에 의해 PR이 유도된다.
　└ Functional ER정도에 대한 Indicator 역할을 한다. 즉, Estrogen이 ER과 결합했을 때 PR이 expression되기 때문에 PR의 존재는 **Endocrine Tx의 반응정도와 연관**이 있다.

② 나이와의 관련성
폐경 후 여성은 젊은 폐경 전 여성보다 ER (+)일 가능성이 높다. 하지만, 대조적으로 나이와 PR과의 관계는 유의하지 않다.

③ 호르몬 수용체상태에 따른 환자의 호르몬요법 반응도
ER-, PR- < ER+PR- <ER-PR+ <ER+PR+
즉, 당연히 ER-, PR- 보다 ER+PR+인 환자가 호르몬 치료에 반응도가 좋으며 ER+PR-와 ER-PR+ 를 비교시에는 ER-PR+가 ER+PR-보다 호르몬치료에 반응이 좋다.

☞ 즉, 에스트로젠에 의해 유도된 단백질 중 가장 중요한 단백질이 프로게스테론 수용체(PR)이다. 따라서 PR은 **"기능하는 ER"**에 대한 표식자가 될 수 있다. 따라서 PR양성인 유방암에서는 호르몬요법에 중등도 반응을 보인다.

## 2. Ovarian Ablation

- Ovarian ablation은 폐경 전 여성에서 유방암의 재발위험을 낮추고 유방암으로 인한 사망을 줄임.

## 3. Aromatase inhibitors (AIs)

- AIs는 aromatase에 의한 말초세포 (지방세포 및 유방조직)에서의 "androstenedione → estrone" 전환을 차단함.

- 선택적인 3세대 AIs로는 Anastrozole, Exemestane, 및 Letrozole 등이 있다.

- 이와 같은 약제는 "**폐경 후 여성**"에서 사용해야 한다.

  (∵ 폐경 전 환자에게서는 에스트로겐 기능을 완전히 차단할 수 없기 때문)

※ 유방암에 대한 약물치료 정리

> 1. 조기암(1-3기)을 지닌 모든 침윤성 유방암 환자는 모두 **약물치료**를 받아야 한다.
> 2. HR(+)인 모든 환자는 anti-estrogen요법을 받아야 한다.
> 3. 약물치료시 종양특징(병기, molecular markers), 환자특성 (나이, 건강상태, 선호도) 및 약물 치료로 인한 위험손익계산을 통해 개인적으로 결정해야 한다.

# ■ 혈관육종 (Angiosarcoma)

- Lymphatics (lymphangioangiosarcoma) 및 capillary endothelium (hemangiosarcoma)에서 기원한 malignant sarcoma로써 **악성도가 매우 높다.**
- 전에 유방암진단을 받은 여부에 따라 일차, 이차병변으로 구분되며, 이차병변의 경우 유방암수술 후 5-10년 후 발생한다.
- 다음과 같은 경우에 발생할 수 있다.
  - 유방암에 대한 방사선 조사 이후, radical mastectomy 이후에 lymphedema가 발생한 환자

### 1. 특징

① 초기에 피부 및 피하에 적갈색에서 보라색 **반점**의 수가 증가하며 edematous skin을 덮는다.
② Benign Hemangioma에 비해 **출혈** 및 **괴사**가 특징적
③ 전이양상
  - 림프절 전이 : 거의 없음
  - 혈행성전이 : 폐, 뼈에서 흔하고 드물게 복부장기, 뇌, 반대편 유방

### 2. 치료

① 유방전절제술 (림프절 절제는 하지 않는다)
② Adjuvanct CTx & RTx를 시행할 수 있다.

### 3. 예후

예후는 **조직소견** 및 **크기**와 관련된다.
  : 처음에 전이가 없이 수술 시 재발까지의 기간은 8개월이며, 평균생존은 2년이다.

# ■ 엽상육종 (Phyllodes Tumor) ★★ [13]

- connective tissue와 epithelium 으로 구성. 조직학적으로 fibroadenoma와 비슷한 스펙트럼
- 양성, 경계성, 악성으로 분류.
  - 양성은 조직학적으로 whorling하는 stroma와 leaflike 형태를 보임
  - 악성은 조직학적으로 stromal overgrowth, cellular atypia, 다수의 mitoses를 나타냄

## 1. 특징

① 크기가 **크다** (평균 5cm, fibroadenoma보다 큼).

② **급격히** 자란다.

③ 발생 연령이 30세 이후임.

④ 유방촬영술에서 부드러운 경계를 가진 round한 음영 (fibroadenoma와 구분하기 어렵다),
   유방초음파에서 낭성의 공간으로 나타나기도 함

## 2. 치료

- 양성 - Fibroadenoma와 비슷하게 local excision
- 경계성 - 최소한 1cm의 margin을 확보하여 excision
    (절제 후 2년 내에 local recurrence가 일어나므로 close f/u)
- 악성 - 충분한 경계를 확보하여 전체 종양을 완전히 절제
    크기가 큰 경우 mastectomy가 필요할 수 있으며, mastectomy후 negative margin은 RTx 필요 없음
    cf. Chest wall RTx. 가 필요한 경우: margin에서 가깝다.
                종양이 흉벽이나 근막을 침범하였다.
                크기가 크다 () 5cm)

▶ 추가노트

☞ 엽상육종은 유방촬영술 등에서 fibroadenoma와 구분이 안되고, core needle Bx에서도 진단율이 50%이기
   때문에 확진은 결국은 excisional Bx를 통해 이루어지며, 위와 같은 특징으로 수술 전 추정 진단해야 한다.

☞ **엽상육종의 원발전이시 치료**
   : 보통 폐, 뼈, 복강내장기관, 종격동으로 전이하며, 특별한 치료법은 없다. CTx 및 RTx를 사용할 수 있고, 보통
   종양은 ER/PR(+)이지만 hormone Tx는 효과 입증 안됨.

# 03 갑상샘
*Thyroid Gland*

 **ANATOMY**

## 1. 회귀성 후두신경 (Recurrent Laryngeal Nerve) ★

① **운동성 기능** : vocal cord를 midline으로부터 abduction

**(그림) Rt. RLN의 Anomalous Variations**

A. Vagus n.로부터 Nonrecurrent하게 나오는 Rt. RLN
B. 정상경로 : 즉 Rt. subclavian a.를 아래를 우회한다.
C. Nonrecurrent n.와 recurrent laryngeal n.가 합쳐져서 common distal n.를 만드는 경우 (흔치 않다)

A                     B                     C

② 위치 : 갑상선 아래 pole에서 Tracheoesophageal groove★ 내에 위치함

③ 손상시 나타나는 증상 ★

| 한쪽 손상시 | 양쪽 모두 손상시 |
|---|---|
| • 동측 vocal cord의 paralysis<br>→ 쉰 목소리,<br>비효과적인 기침 | • 발성을 못함, 기도가 막힘.<br>→ emergency intubation &<br>tracheostomy가 필요할 수 있음. |

(그림) 수술 시 RLN가 injury 받기 가장 쉬운 곳 (3군데)★

① Ligament of Berry
② Inf, thyroid a. br를 ligation할 때
③ Thoracic inlet (Thyroid inf. pole)

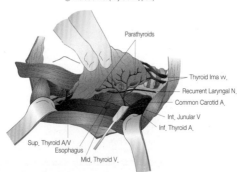

Parathyroids

Thyroid Ima vv.
Recurrent Larygeal N.
Common Carotid A.
Int. Junular V
Inf. Thyroid A.

Sup. Thyroid A/V
Esophagus
Mid. Thyroid V.

## 2. Superior Laryngeal Nerve

① 이 신경에는 아래의 두 분지가 있다.

| 큰 Internal branch (감각신경) | 작은 External branch (운동신경) ★ |
|---|---|
| • thyrohyoid membrane로 들어감 | • Sup. thyroid a.가 thyroid로 들어가는 부위의 1cm 이내로 주행하여 Cricothyroid m.로 들어감.<br>• 수술 시 Sup. thyroid pole의 너무 위쪽에서 **thyroid a.를 ligation할 때** Ext. branch가 손상을 입을 수 있다.<br>→ 고음 발성 장애 ★ |

(그림) Sup. laryngeal n.의 sup.branch (노란색)과 Sup. thyroid a.와의 관계

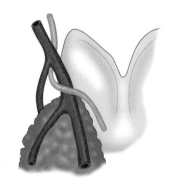

## 3. 혈액 순환

(그림) 갑상선의 Arterial Supply & Venous Drainage

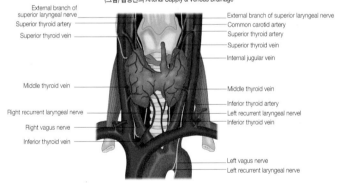

External branch of superior laryngeal nerve
Superior thyroid artery
Superior thyroid vein

Middle thyroid vein

Right recurrent laryngeal nerve
Right vagus nerve
Inferior thyroid vein

External branch of superior laryngeal nerve
Common carotid artery
Superior thyroid artery
Superior thyroid vein
Internal jugular vein

Middle thyroid vein

Inferior thyroid artery
Left recurrent laryngeal nervel
Inferior thyroid vein

Left vagus nerve
Left recurrent laryngeal nerve

▶ 추가노트

☞ Sup. laryngeal n.는 아래쪽 & 가운데쪽으로 주행하며, thyroid의 sup. lobe로 들어가는데 이때 sup. thyroid a. 를 따라서 혹은 주변으로 주행할 수 있으므로 주의해야 한다.

① 동맥

  a. sup. thyroid a. : Ext. carotid a.의 첫번째 분지

  b. inf. thyroid a. : from thyrocervical trunk

             sup.& inf. parathyroid에 혈액 공급

  ※ Thyroidea ima a. (5%)

② 정맥

  a. sup.  → int. jugular v.

  b. middle ╱

  c. inf.  → innominate & brachiocephalic v.

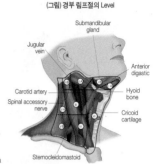

(그림) 경부 림프절의 Level

### 4. 림프계

- rich lymphatic supply, drain in almost every direction
- papillary ca. : 림프절 전이가 흔함.
- medullary ca. : 역시 림프절 전이를 잘 하는데 주로 Central compartment 내에서만 이루어진다.

        → Medullary Ca에 대해 갑상선 전절제시 Central -compartment LN dissection을 시행한다.


## ◼ 갑상선의 생리


■ Iodine Metabolism

- 전신 iodide의 90%를 갑상선에 저장, 나머지 10%만 extracellular pool에 존재
- iodine 적을 때와 많을 때 연관된 질환들

| 적을 때 | 많을 때 |
|---|---|
| → Nodular goiter,<br>갑상선 기능 저하증,<br>Cretinism,<br>Follicular thyroid ca. | → Graves' dis.,<br>Hashimoto's thyroiditis |

# ■ 갑상선 호르몬 분비 조절

## 1. T3 (triiodothyronine) & T4 (throxine)

- Iodine이 follicular cell에 들어오면 iodine은 tyrosine과 결합하여 MIT, DIT를 형성하며, 이들은 아래와 같이 결합하여 갑상선 호르몬을 생성한다.

$$
\begin{array}{ccccc}
\underset{\llcorner \text{Monoiodotyrosine}}{\text{MIT}} & + & \underset{\llcorner \text{Diiodotyrosine}}{\text{DIT}} & \rightarrow & \text{T3} \\
\text{DIT} & + & \text{DIT} & \rightarrow & \boxed{\text{T4}}
\end{array}
$$

(갑상선에서 주로 만들어지는 호르몬 형태)

- 정상적으로 2주간 사용할 수 있는 양의 갑상선 호르몬을 저장
- Hypothalamic - Pituitary - Thyroid axis 가 갑상선 호르몬 분비에 관여
  (TRH)    (TSH)

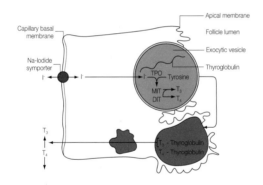

## 2. Calcitonin

① C cell에서 분비 :
  └ thyroid sup.lat. portion에 주로 위치하는 parafollicular cell

② 작용 : osteoclast에 작용하여 bone resorption 억제 → peripheral serum Ca level ↓

③ basal or stimulated calcitonin level
  : 갑상선 수질암 (medullary ca.)의 진단에 이용

### 3. 갑상선 호르몬의 말초작용

① peripheral activity : T3 (3 - 4배) > T4

　반감기 : T3 (8-12hrs) < T4 (7days)

② 대부분 (80%)의 말초 T3, T4는 TBG (thyroxine-binding globulin)에 결합한다.

　일부 T4는 prealbumin thyroxine-binding protein과 albumin에 결합

③ free T4 or T3 : 1% 미만
　└ active form

④ 말초에서의 T3의 75%는 T4에서 유래한 것이다.(peripheral conversion of T4 → T3)

　그리고 이러한 T3 (주로)가 결합단백질로부터 유리될 때, 세포의 T3 receptor와 반응하여 효과를 나타낸다.

> 즉, T4를 prohormone으로,
> T3를 세포차원에서 반응하는 유일한 호르몬으로 기억하자.

　cf) T4→T3로의 말초전환을 방해하는 상황 (→ 갑상선 기능 저하증 유발)

　: 패혈증, 영양 결핍, 스테로이드 propylthiouracil, beta blockers, 요오드표지 조영제, amiodarone의 사용

## ■ 갑상선호르몬 합성의 억제

### 1. 항갑상샘약제

① 작용기전
* inorganic iodine 의 organification & oxidation 억제
* MIT & DIT의 linking 억제

② 종류 ★

> a. PTU (propylthiouracil)
> : 위의 기능에 추가해서 T4 → T3로의 말초전환도 막는다.
>
> b. Methimazole (Tapazole)
> : 작용이 길어서 하루에 한번 복용해도 된다.
> 태반을 통과하여 태아발달에 악영향 ((임신 1st trimester에서 금기)★

※ 공통된 부작용
　: Agranulocytosis (< 1%), rash, arthralgia, neuritis, 간 기능 부전

### 2. Iodine

* SSKI나 Lugol solution의 형태로 대용량으로 투여하였을 때 갑상샘호르몬의 방출을 막는다.
* 효과는 일시적이지만, 수술전 준비의 일환으로 갑상샘의 hyperactivity를 치료하는 데에 사용될 수 있다.

## 3. Steroids

- 작용   a. pituitary-thyroid axis 억제함.
         b. T4 → T3 말초 전환 억제
         c. 혈중 TSH 낮춤

## 4. β-Blocker

- 갑상선호르몬합성을 억제하지는 않는다.
- Catecholamine의 peripheral sensitivity를 조절하는데 효과적
  → 심혈관 증상 완화 역할 : pulse rate, tremor, anxiousness 등

# ■ 갑상선 기능 검사 ★

## 1. Pituitary-Thyroid Feedback Loop 평가

① serum TSH : 갑상샘기능이상의 중요한 screening test

② TRH stimulation test

③ T3 suppression test

## 2. Serum T3 & T4 Level

- 갑상선 기능을 정확히 알기 위해서는 free T4 level과 T3 level을 check!

## 3. Calcitonin

- MEN type2 환자에서 갑상선 종괴가 발견된 경우나 Medullary carcinoma가 의심되는 경우에 측정한다.

## 4. RAIU ( Radioactive Iodine Uptake)

- $^{125}$I 복용 후 스캔 시행 → 정상 : 24시간 후 15-30%
  cf. $^{131}$I 는 갑상샘 종양의 radioablation에 사용

## 5. Thyroid Autoantibody Level

- Thiroid-stimulating immunoglobulin, antimicrosomal and antithyroid peroxidase antibodies
- Antimicrosomal antibody : Hashimoto's thyroiditis (95%), Graves' dis.(80%)

▶ 추가노트 ------------------------------

※수술전 처치로 이용되는 약

: ① Antithyroid drug,  ② Lugol's solution &  ③ Propranolol

# 갑상선 대사 질환

## ■ 갑상선 기능 저하증

• 보통 충분한 양의 thyroid hormone을 생산하지 못하여 일어남(i.e. primary hypothyroidism)

### 1. 원인

① 요오드 결핍

② Hashimoto's Thyroiditis

- TSH-blocking antibody, antimicrosomal antibody가 관여

③ 방사선치료 후

④ 갑상선 절제술 시행 후 (m/c)

⑤ 약제복용 후

  a. cytokines : IFN-α, IL-2

  b. Lithium : bipolar disease (양극성장애)시 복용하는 약

  c. Amiodarone : 항부정맥 제제

  d. Antithyroid drug

### 2. 치료 : 갑상선 호르몬 복용

## ■ 갑상선기능항진증 - Graves' Disease ★

### 1. 특징

① 20~40세, 여성

② 증상 triad ★

  i) Thyrotoxicosis, ii) 경부 종괴, iii) 안구 돌출증 (Exophthalomos)

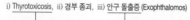

| | |
|---|---|
| • 발한, 체중감소 | • 눈확 주위, 결막 부종    • 안구운동의 감소, 복시 |
| • heat intolerance, 갈증 | • 치료 안하고 진행할 시 optic n. damage로 실명 가능 |
| |   → Total thyroidectomy해야 교정됨 |

③ 조직 : enlarged nodular gland c̄ increased vascularity

### 2. 진단

① Enlarged smooth thyroid mass, thyrotoxicosis의 증상, T3, T4 ↑ TSH ↓

② $^{125}$I scan : 전체 갑상선으로의 diffuse uptake

## 3. 치료 ☆☆

### ① 항갑상선 약물

a. PTU, Methimazole, Carbimazole : 1-2년의 치료 이후에 1/3의 환자들이 약물복용 중단 가능.
그러나 대부분의 Graves disease 환자들은 RAI나 갑상샘절제술 같은 확실한 치료가 필요.

b. β-blocking agent (propranolol)

### ② Radionuclide Therapy : Iodine - 131

a. 적응증

> - **작거나 중등도** 크기의 갑상선
> - **항갑상선제에 반응하지 않는 경우**
> - **수술**을 원치 않거나, 금기인 경우
> - 수술 및 약물요법후 후 **재발**한 경우

b. 금기증 : 임산부 혹은 수유중인 여성 (다른 가임기여성에서는 가능)

c. 장점 : 수술을 피할 수 있고 비용효율적이다.

d. 단점 : **갑상선기능저하증, 심부정맥**, ophthalmic problem 악화 및 Thyroid storm 등의 위험

### ③ 갑상선 절제술

a. 장점 : 빠르고 효과적이며 투약이 필요없다.

b. 방법

| Total Thyroidectomy | Near-total or Subtotal thyroidectomy |
|---|---|
| • 장점 : 가장 낮은 재발률, **opthalmopathy** 안정화에 가장 좋다.<br>• 단점 : 수술 합병증 (nerve injury, hypoparathyroidism) | • 보통 1~2g을 남김. 술후 합병증이 적지만, **재발위험**이 있다. |

c. 적응증★

> - **약물투여 및 방사선치료에 실패**
> - **임신** (혹은 6개월 내 임신할 계획), 수유중일 때
> - 내부에 다른 **종괴**가 의심되는 경우 (악성 의심 시)
> - **미용상** 심한 deformity가 있을 때
> - **기도 압박**시 (large goiter)

d. **수술 전 투약★** : thyroid storm의 위험을 낮추기 위해 【13】

- **항갑상선 약물** : euthyroid state로 만들기 위해
- **Lugol solution** : 수술 전 3방울씩 하루에 2회 7일 간 투여
   → 갑상선의 vascularity을 줄이기 위해 **Euthyroid를** 유도 후 2개월 지나서 수술함

※ Thyroid Storm★

– 전투약없이 수술했을 경우 갑상선절제후에 나타남.

– 증상 : severe tarchycardia, fever, confusion, vomiting, adrenergic overstimulation (mania, coma)

– 치료★ : **수액보충, 항갑상선약제,** β-blocker, iodine, steroid

　　　필요시엔 Plasmapheresis

## 단일 갑상선 결절이 있을 때의 진단

(그림) 갑상선결절이 있는 환자에서의 검사진행 ★【16】

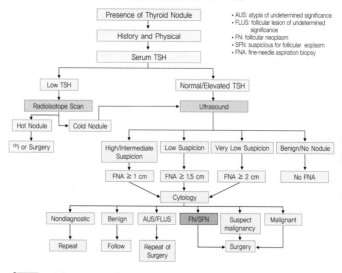

- AUS: atypia of undetermined significance
- FLUS: follicular lesion of undetermined significance
- FN: follicular neoplasm
- SFN: suspicious for follicular eoplasm
- FNA: fine-needle aspiration biopsy

추가노트

cf) 갑상샘 기능저하증의 다른 원인들

a. Acute suppurative thyroiditis
b. Subacute thyroiditis
c. Riedel Struma

d. Toxic Nodular Goiter (Plummer's Disease)
e. Multinodular Goiter
f. Substernal Goiter

## 1.초기 평가 – 문진, 신체검진 ★

• 갑상샘 결절은 나이가 들수록 증가하지만 대부분은 양성이며, 전체의 약 5% 가량이 악성이다.

> [악성의 위험인자]
> ① 소아에서의 갑상샘 결절
> ② 남성
> ③ 나이: 30세 이하 혹은 60세 이상
> ④ 방사선 조사력: 직업적 노출, 두경부 RTx, 특히 어릴 때
> ⑤ 특별한 내분비 질환력 및 가족력
>   : MEN type 2, MTC, PTC, Gardner's synd, Cowden synd.
> ⑥ 국소침범소견: hoarseness, dysphagia 등
> ⑦ 단단한(firm) 결절
> ⑧ 단일(solitary) 결절

## 2. 갑상샘 초음파

• nonthyrotoxic nodule에 대한 평가

• 이점
a. 휴대 가능(portability) - 검사실 외에 외래와 수술실에서도 사용 가능함
b. 비용효과적(cost-effectiveness)
c. 방사선을 이용하지 않음

• 초음파에서 악성을 의심할 수 있는 소견
  : 다음의 소견들은 결절의 크기와 함께 FNA가 필요한 지 결정하는 데에 사용될 수 있다.

> ① Microcalcifications
> ② Solid hypoechoic components
> ③ Hypervascularity (Intranodular)
> ④ Infiltrative(irregular) margin
> ⑤ Taller than wide shape
> ⑥ Extrathyroidal extension

### 3. 갑상샘 스캔 (Radioisotope scanning)

① 갑상선결절의 존재, 크기 및 기능 여부를 알 수 있다.

② 종류

| Iodine – 123 | Iodine – 131 | $^{99m}$Tc (Technetium–pertechnetate–99m) |
|---|---|---|
| • Lingual thyroid, Substernal goiter를 찾을 때 사용 | • 고분화 갑상선암의 원발전이를 찾는데 사용★<br>• Cold nodule : 15~20%가 악성☆<br>• Warm or hot nodule : 5%이하가 악성 | • 갑상선에 의해 Trapping은 되지만 organification이 되지는 않는다.<br>즉, 갑상선결절의 기능 여부는 알 수 없다. |

### 4. CT &MRI

• 단순 갑상샘 결절의 진단에 특별히 도움이 되지는 않는다.

• 진행된 갑상샘암에서의 local extension이나 커다란 목 림프절을 동반한 의심스러운 mass의 평가, 술전 계획 등에 사용될 수 있다.

• hyperthyroidism이 있는 환자에서 CT촬영을 위한 정맥 조영제의 사용 시 주의해야 한다. (과도한 요오드 부하를 주어 thyroid storm을 일으킬 가능성이 있다.)

### 5. Fine-Needle Aspiration Biopsy

• 갑상샘 결절의 평가에서 비용효과적이고 훌륭한 진단적 도구이다.

• 환자 요소, 초음파 소견, 결절의 크기 등을 종합적으로 고려하여 FNA 시행을 결정한다. (앞의 flow chart 참고)

• 23~27 gauge needle을 사용한다. (큰 바늘에 비해 합병증 발생↓)

• 보통 초음파 유도 하에 시행하는 것이 좋다.

• 위음성률: 1~6%

• Follicular ca.: FNA로 진단 할 수 없다. (주변조직 침범여부를 알 수 없으므로)

• 순수하게 낭성인 병변(purely cystic lesion)은 FNA가 필요 없으며, fluid aspiration을 한다.

## 3. 치료

- Bethesda System에 따라 치료(flow chart 참고)
- 갑상샘 결절에서 수술적 절제를 고려하는 경우
  a. 국소적 압박이나 염증의 소견이 명확한 경우
  b. serum TSH 측정에서 기능항진이 확인된 경우
  c. 악성이 의심되는 경우

# 갑상선 암

cf. 유두암(Papillary ca.)과 여포암(Follicular ca.)를 Differentiated Thyroid ca.(DTC)로 칭한다.

## ■ 유두암 (Papillary Carcinoma) ★

- m/c (70~80%) 예후는 매우 좋다 (특히 40세 이하 여성에서).
- 방사선 노출 과거력과 관련이 있다. ★
- FNA에서 intranuclear inclusin body와 nuclear grooving, psammoma body 등이 보이면 확정적

※ **예후**에 관련된 인자는 아래와 같다.
- **AGES**: Age, pathologic grade, extent of primary tumor, and size
- **AMES**: Age, distant metastasis, extent of primary tumor, and size

|  | 위험도 낮음 | 위험도 높음 |
|---|---|---|
| Age | 〈 40세 이하 | 〉 40세 이상 |
| Gender | 여성 | 남성 |
| Extent | 국소침범없음 | 피막 및 감상샘밖 침윤 |
| Metastasis | 없음 | 있음 (국소 혹은 원격) |
| Size | 〈 2cm | 〉 4cm |
| Grade | 분화암 (Well-differentiated) | 미분화암 (Poorly-differentiated) |

■ **여포암 (Follicular Carcinoma)**

- 2번째로 많다! (10%)
- 고령에서 발생 (peak: 40-60세), 여성 (3배)
- PTC와 다르게 방사선 조사력과 크게 관련되지 않는다.

- 병리
  - 정상적인 follicular cells이 **비정상적인 위치**에 있으면 진단 가능하다.
    └ 피막, 림프계 및 혈관 침범
    → ∴ FNA 및 Frosen section에서도 악성도를 진단하기 힘들다.
- 림프절 전이는 매우 적고 (<10%), **원발 전이(혈행성 전이)가 흔하다.** ★
    └ 폐, 뼈
- 예후 : 나이(40세 이하에서 좋은 예후)와 종양의 크기가 중요

■ **Hurthle cell Carcinoma**

- Follicular ca의 subtype으로 예후는 더 좋지 않다.
- 풍부한 Oxyphilic cells을 지니고 있음
  재발률이 높은데, 특히 **국소 림프절 전이**가 두드러진다.

■ **DTCs(PTC, FTC)의 치료**

> **일차치료에서 고려해야 할 사항**
> ① 원발병소와 임상적으로 중요한 목 림프절의 절제
> ② 치료로 인한 합병증 최소화
> ③ 정확한 병기설정 가능
> ④ 필요한 경우 수술 후 RAI 치료가 가능하도록
> ⑤ 장기적인 surveillance를 가능하도록
> ⑥ 재발과 전이의 위험성을 최소화

▶ **추가노트**

☞ FTC수술 후의 예후는 나이가 결정한다. 즉, 40세 이하인 경우 예후가 가장 좋다.
☞ PTC 및 FTC 수술 후 관리는 "Radioiodine ablation" 과 "thyroglobulin에 대한 장기적 monitoring"이다.
☞ Completion Thyroidectomy는 남아있는 thyroid 조직을 모두 제거하는 술식이다.

## 1. 수술적 절제

- **수술의 종류**

  a. hemithyroidectomy / thyroid lobectomy

  b. near-total thyroidectomy

  c. total thyroidectomy

- 전이의 증거가 없는 일측의 갑상샘암의 치료에서도 total thyroidectomy를 고려한다. 【13】

  근거) 효과적인 RAI ablation이 가능해짐

  병소가 multifocal하게 숨어있을 수 있음

  Tg를 tumor marker로 사용할 수 있음

- 이전의 가이드라인에서는 1cm이상의 거의 모든 갑상선분화암(DTCs)에서 total thyroidectomy를 권고하였으나, 최근의 연구들에 따르면 total thyroidectomy에서의 생존률 향상 효과에 대한 의문이 제기되고 있으며, 더 선택적인 환자군에서 RAI 치료를 권하는 방향으로 변화하고 있다.

- 갑상선분화암에 대한 **적절한 수술의 선택** (2016 대한갑상선학회 갑상선결절 및 갑상선암 진료권고안)

  ① **비진단적**이거나 **비정형**, 여포종양 혹은 여포종양 의심, 또는 **악성의심**의 세포소견을 보이는 경우

    a. 반복 검사에서도 세포소견이 "비진단적"인 경우,

      높은 의심 초음파소견 또는 추적 초음파검사에서 결절의 크기 증가(20% 이상의 증가),

      또는 암 발생의 임상적 위험 요인이 있는 경우

      **→ 진단적 갑상선 절제**를 고려

    b. 단일 결절이고 미결정(indeterminate) 세포 소견을 보이는 갑상선결절

      **→ 처음 수술로 엽절제술 추천**

      (단, 임상 또는 초음파 소견, 환자의 선호도, 분자검사 결과 등을 바탕으로 변경될 수 있음)

    c. 세포 소견이 "악성의심"인 경우,

      알려진 특정 암유전자 돌연변이가 있는 경우,

      높은 의심 초음파 소견을 보이는 경우,

      크기가 4 cm 보다 큰 경우,

      또는 갑상선암의 가족력이나, 방사선 조사의 과거력이 있는 경우 등

      **→ 갑상선전절제술이 적합할 수 있음**

      (∵악성의 가능성이 높고, 엽절제술 후 암으로 진단된다면 잔존갑상선절제술이 필요하므로)

② 세포검사에서 암으로 진단된 경우의 수술

　a. **갑상선암의 크기에 상관없이**

　　육안적 갑상선의 침윤, 또는 임상적으로 경부 림프절전이나 원격전이가 분명한 경우,

　　혹은 **크기가 4 cm를 초과하는 갑상선암**

　　→ 특별한 금기가 없는 한 처음 수술 시 갑상선(근)전절제와 원발암의 완전한 육안적 제거를 시행

　b. **1cm ＜ 갑상선암의 크기 ＜ 4 cm** 이면서,

　　갑상선외 침윤이 없고, 임상적으로 경부 림프절 전이의 증거가 없는 경우

　　→ 처음 수술로 엽절제술을 적용할 수도 있음

　　　(but, 수술 후 RAI 치료계획, 추적검사의 효율, 환자의 선호 등을 고려하여 갑상선(근)전절제술

　　　을 선택할 수도 있음)

　c. 갑상선암의 크기 ＜ 1 cm 미만이고,

　　갑상선외 침윤이 없으며, 임상적으로 경부 림프절 전이의 증거가 없는 경우,

　　반대 쪽 엽을 절제해야 하는 분명한 이유가 없다면

　　→ 처음 수술로 갑상선 **엽절제술을 적극 권고!!**

　　　(두경부 방사선 조사력이 없고, 가족성 갑상선암이 아니면서, 경부 림프절 전이가 없는 갑상선

　　　내에 국한된 단일 병소의 작은 갑상선암의 경우 →초기 수술은 갑상선 엽절제술로 충분)

③ 림프절절제술

　a. 임상적으로 **중앙경부 림프절전이**가 확인된 경우【13】

　　→ 치료적 **중앙경부(level VI) 림프절절제술**을 시행

　b. 임상적으로 중앙경부 림프절전이가 **없는** 갑상선유두암 환자에서도,

　　진행된 원발암(T3 혹은 T4) 또는 임상적으로 확인된 측경부 림프절전이 (cN1b)가 있는 경우

　　또는 향후의 치료 전략 수립에 필요한 추가적인 정보를 얻기 원하는 경우

　　→ 예방적 중앙경부(level VI) 림프절절제술을 고려

　c. 대부분의 **갑상선 여포암**의 경우

　　→예방적 중앙경부(level VI) 림프절절제술이 **불필요**

　d. **측경부 림프절 전이**가 조직검사로 확인된 경우

　　→ 치료적 측경부 림프절절제술 시행

④ 잔존갑상선절제술(Completion Thyroidectomy)

━━━▶ 추가노트 ·················································

☞ 갑상선 전절제술의 합병증 ★【17】【15】【14】

1. **갑상선 기능저하증**

- 환자는 평생 갑상선호르몬을 복용해야 한다.

2. **부갑상선 기능저하증**

- 수술 시 부갑상선도 동반제거될 우려가 있으며 이로 인해 칼슘결핍증상★이 발생한다.

3. RLN(recurrent laryngeal n.)등 수술도중 손상우려가 있다.

4. 기타 합병증 - 출혈, 혈종 → 호흡곤란(기도폐쇄) 관찰되면 즉시 open drainage(**수술상처개방**)

　　　　　　　- 가슴관(thoracic duct) 손상: Chyle leakage

a. 엽절제술을 받았으나,

처음 수술 전에 갑상선암으로 진단되었다면 갑상선(근)전절제술이 추천되었을 환자

→ 잔존갑상선절제술을 권고

+ 임상적으로 중앙경부 림프절 전이가 있다면 치료적 중앙경부 림프절절제술을 시행

(저위험 갑상선유두암 또는 여포암의 경우에는 갑상선 엽절제술 만으로 충분한 치료가 될 수 있음)

b. 잔존갑상선절제술의 대안으로 방사성요오드 치료를 시행하는 것은 권고되지 않음

## 2. RAI ablation

• 목적

a. 잔존 갑상샘 조직을 제거하여 Tg 검사나 영상검사를 통한 재발 감시를 용이하게 한다.

b. occult metastatic disease를 없애는 보조적 치료

c. 이미 알려진 질환에 대한 일차치료

• 육안적으로 extrathyroidal extension이 있거나 M1인 환자 - RAI가 recurrence-free survival을 향상

## 3. TSH suppression

• 갑상선분화암(DTCs)은 세포막에 TSH 수용체를 가지고 있고, TSH 자극에 반응하여 세포성장이 증가

→ 생리적 용량 이상의 고용량 갑상선호르몬제(LT4)를 투여

→ TSH 분비를 억제함으로써 갑상선암의 재발을 감소시킬 수 있음.

## 4. 기타

• External-beam radiation, 전신보조항암화학요법, 표적치료제 등

## ■ 수질암 (Medullary Carcinoma) ★

• 빈도 4-10%

• Neural crest origin인 C cell (Parafollicular cell)에 발생하는 종양

## 1. 특징

① "Calcitonin"을 분비 ★ → 하지만 Hypocalcemia를 심하게 유발하지 않는다.

② 2 types

a. "Sporadic MCT" : (80%) 보통 병변은 단발병소이며 한 엽에 국한된다.

b. "MEN type 2A or 2B" : 양엽의 upper halves에 병변이 위치함.

③ 크기가 작으며 수술 후 calcitonin level이 측정되지 않을 때 좋다.

### 2. 치료

① Total Thyroidectomy ± Central LN dissection (최소한!!) if palpable lat. L/N → MRND 추가

② MTC는 follicular cell 기원이 아니므로, RAI 스캔이나 치료는 효과가 없다.

## ■ 미분화암 (Anaplastic Carcinoma)

• 약 1%

• 가장 악성도가 높으며, 고령에서 많다.

> cf) 악성도 : 유두암 < 여포암 < 수질암 < 미분화암★

### 1. 임상양상

• dysphagia, cervical tenderness, painful neck mass, SVC syndrome

• 급속히 진행하여 **기도 폐색**을 유발할 수 있다.

### 2. 치료

• 발견 당시 90%는 원격전이(m/c: lung)를 동반하여 절제에 적합하지 못하다.

• 술후 RTx or CTx : 거의 효과 없다!!

• 예후가 매우 안 좋다 (disease specific mortality가 거의 100%에 근접).

## ■ 림프종

• 드물지만, 점차 증가 추세

• Hashimoto' s thyroiditis**와 연관**이 있을 수 있다. (약 반수)

• **치료** : (Preoperative) CTx ± **Surgical** (near or total thyroidectomy)

    CHOP regimen

> Pericapsular edema & swelling으로 수술이 어려우므로 수술여부는 신중히 결정한다.

**C**yclophosphamide
**H**ydroxydaunomycin [doxorubicin]
**O**ncovin [vincristine]
**P**rednisolone

Power

# 04 부갑상샘
*Parathyroid Glands*

## ▨ 해부

- 4개의 glands가 존재. 전체무게 : 90-200mg  크기 : sup. < inf.
  추가의 gland가 발견될 수 있다 (thymus내에서 자주 발견).
- 보통 sup. 2개/ inf. 2개이며 (양쪽이 대칭적인 경우가 대부분)
  - sup. parathyroid glands: mid. ~ sup. thyroid lobe의 후내측 표면에 위치
  - inf. parathyroid glands: inf. thyroid lobe의 바로 아래쪽, 되돌이후두신경의 앞
- 혈액공급 : 보통은 Inf. Thyroid Artery (80%)로부터
  일부 sup. gland에 sup. thyroid artery가 공급하는 경우 (20%)

## ▨ 생리

■ Mineral Metabolism

### 1. 칼슘

- 기능 : 주된 세포내 second messenger로서, 근수축 및 세포막 repolarization
- 하루 섭취량은 약 1g, 대부분 **상위 소장**에서 흡수된다.
- total serum calcium: 8.5 to 10.2 mg/d
- ionized (→ active) form과 단백질 (Albumin) 결합 형태 반반씩이다.

- 칼슘 분포에 영향을 주는 인자들

  ┌ a. 체액 pH

  H+이 Ca-결합단백의 Ca결합 부위와 동일부분에 결합함으로써
  Ca결합을 방해한다.

  > $H^+ \uparrow (Acidosis) \rightarrow Ca^{++} \uparrow$
  > $H^+ \downarrow (Alkalosis) \rightarrow Ca^{++} \downarrow$

  └ b. 단백질량

  1g/dl total protein 변화 → 0.8mg/dl의 total serum Ca의 변화

## 2. 인 (Phosphate)

- 사람은 700g의 phosphate를 지니며 대부분 뼈 및 이에 위치한다.
- 하루 섭취량은 약 1.5g, plasma phosphate : 2.5 - 4.3 mg/dl
- Plasma Ca과 Phosphate는 inversely 조절됨

## 3. 마그네슘

- 주로 뼈에 위치. 신체대사에서 여러 enzyme의 활성화에 작용
- 하루 약 300mg 정도 섭취.

**(표) Calcium-Regulating Hormones의 작용**

| | 뼈 | 신장 | 장 |
|---|---|---|---|
| ① 부갑상선호르몬 | • 칼슘과 인 재흡수 촉진 | • 칼슘의 재흡수 촉진<br>• 25(OH)D$_3$ → 1,25(OH)$_2$D$_3$ 전환 촉진<br>• 인과 중탄산염(bicarbonate) 재흡수를 억제함 | • 직접적인 작용없음 |
| ② 비타민D | • 칼슘의 이동을 도움 | • 칼슘의 재흡수를 억제함 | • 칼슘과 인의 재흡수를 촉진 |
| ③ 칼시토닌 | • 칼슘과 인의 재흡수를 억제함 | • 칼슘과 인의 재흡수를 억제함 | • 직접적인 작용없음 |

# ■칼슘 대사 조절

## 1. Parathyroid Hormone

① 혈장 칼슘치 및 1,25-dihydroxyvitamin D가 낮을 때 분비된다.

② 신장과 골격근에 직접적인 영향을 주고, 위장관에는 Vit D hydroxylation을 통해 간접적인 영향을 미친다.

| 골격근 | 신장 |
|---|---|
| a. 칼슘분비를 촉진 | a. calcium 흡수, phosphate 분비 |
| b. osteoblasts억제 & osteoclasts 자극 | b. 25-hydroxyvitamin D |
| | → 1, 25-dihydroxyvitamin D (hydroxylation) |

## 2. Vitamin D

- 장에서의 Ca, Phosphate 흡수를 증가시키며, 뼈에서 혈액으로 Ca, Phosphate를 이동시킨다.

## 3. Calcitonin

- 칼슘의 뼈에서의 흡수를 막고, 저칼슘혈증을 유발한다. 소변에서의 Ca, Phosphate의 분비를 증가시킨다.

**(그림) 칼슘 항상성 조절**

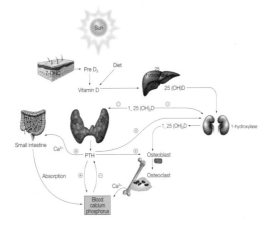

## ◩ 부갑상선 관련 질환들

### ■ 부갑상선기능항진증

• 분류

① 1차성 : Ca에 의한 정상 feedback조절이 이루어지지 않아 PTH생산이 증가할 때

② 2차성 : vit. D 결핍이나 만성신부전으로 인한 것이 가장 흔함

③ 3차성 : 오랜 보상적 자극을 받은 부갑상선이 autonomous function을 획득할 때

　　　　 (4개의 gland가 hyperlasia되며 serum Ca level과 무관하게 PTH 분비)

---

### A. 일차성 부갑상선기능항진증

• 노령에서 많다 (특히 폐경기 여성에서) 가장 흔한 것이 Parathyroid single adenoma임 (약 85%) ★

---

### 1. 임상양상

• 요즈음은 과거보다 무증상의 고칼슘혈증으로 발견되는 경우가 많다.

(표) Primary Hyperparathyroidism의 증상과 징후 ★

| SYMPTOMS | SIGNS |
|---|---|
| Musculoskeletal | Musculoskeletal |
|   **Bone pain** |   Osteoporosis |
|   **Muscle aches** |   Osteopenia |
| Renal Renal | |
|   **Polyuria** |   **Nephrolithiasis** |
| Gastrointestinal |   Nephrocalcinosis |
|   Nausea | Bone |
|   Vomiting |   Osteitis fibrosa cystica |
|   **Constipation** |   Pathologic fractures |
|   Abdominal pain |   Brown tuors/cysts |
| Neurocognitive dysfunction | |
|   Fatigue | |
|   Poor concentration | |
|   Memory loss | |
|   Irritability/mood swings | |
|   Insomnia | |

※ 참고

① "신장합병증" : 가장 심각!

- 빈뇨, Nocturia & Polydipsia 신결석증 (Nephrolithiasis)과 연관된 경우 25-30%

- 신 석회화증 (Nephrocalcinosis) : 신장실질내의 석회화.

　　　　　　　　　　　　　　　부갑상선 기능 항진증을 치료하여도 개선되지 않는다.

- 고혈압 : 고령에서 많고 사망요인의 30%를 차지한다.

　　　　　　　　　(∵심부전, 신부전, Cerebral hemorrhage)

② "골질환" : 5-15%

- 손〉두개골〉척추 순으로 나타남.

　　　　└─ 척추 골절이 많다.

　　　　"DEXA" (Dual-Energy X-ray Absorption scanning)로 진단

③ "소화기계 합병증" : 소화성 궤양, 췌장염, 담석증 (25-30%)

④ "감정의 변화"

- Depression or Anxiety ~ Psychosis or Coma

- 수술 후 어느 정도 호전됨.

## 2. P/EX

- 좀처럼 종괴가 만져지지 않는다.

## 3. 검사소견

① serum Calcium ↑ + serum PTH ↑ : 가장 유용한 검사

　: 절반, 신기능 저하 동반시 상승함

② ALP (Alkaline phosphatase) 상승 : 10-40% ALP가 상승한 환자는 보통 골질환을 동반한다.

③ 과염소혈 대사성 산증 (Hyperchloremic metabolic acidosis) ★

　∵ PTH가 $HCO_3^-$ 를 신장에서 배출시키기 때문이다.

④ "DEXA" of lumbar spine, hip & forearm → primary HPT시 나타나는 골다공증을 알아봄.

## 4. 일차성 부갑상선 기능항진증의 수술적응증

① **증상**이 있는 모든 환자는 수술의 적응증이다.

② 증상이 없더라도 아래의 경우는 수술의 적응증이다.

　a. 나이 〈50세

　b. Serum calcium 〉1mg/dl above upper limit of normal

　c. 뼈밀도 (@ lumbar spine, femoral neck, total hip, 혹은 distal radius의 1/3

　　: T-score ≤ 2.5 (폐경기나 폐경 후 여성, 50세 이상의 남성)

　　: Z-score ≤ 2.5 (폐경 전 여성과 50세 미만의 남성)

　　: 척추 골절(fragility fracture 포함하여)이 영상검사에서 보일 때

　d. 신기능

　　: CCr 〈 60mL/min

　　: 신결석이나 신석회화증이 X-ray, 초음파, CT 등에서 확인되었을 때

---

## B. 이차성 & 삼차성 부갑상선 기능항진증

### 1. 발생기전

- **CRF에서,**

　a. Phosphate retention으로 인한 **Hyperphosphatemia**

　　신장에서 1,25-Dihydroxyvitmine D 생성감소

　　→ 장에서 calcium 흡수 감소 → hypocalcemia → PTH 자극

　b. 투석액 (Dialysate water) 및 phosphate 함유한 약제에 있는 **Aluminum**

　　→ 뼈에 침착되어 Osteomalacia 유발

(그림) CRF에서 나타나는 Secondary Hyperparathyroidism의 도식도

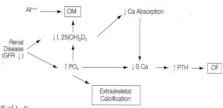

추가노트

cf) OM = osteomalasia
　　OF = osteitis fibrosa

cf) 2차성 부갑상선기능항진증 치료 도중

- 특별히, Ca 및 VitD 복용을 중단했을 때
- 심각한 hypercalcemia가 발생하는 경우, 3차성 **부갑상선 기능항진증**이라고 하며, 이는 만성적으로 자극되어 있는 부갑상선이 autonomous function을 지니게 되어 발생한다. 이 경우 수술적응증에 해당한다.

## 2. 치료

① Medical Tx

1) 저칼슘혈증 조절

- 고농도의 칼슘이 포함된 투석액 사용
- 칼슘 포함 인산 결합제 (탄산칼슘, 아세트산 칼슘)

2) 고인산염혈증 조절

- 적절한 혈액투석, 인산염 식이섭취 제한, 인산결합제의 투여

② 수술

• 적응증

1) intact PTH 〉500pg/mL
2) 비대된 부갑상선 발견(가장 큰 것의 부피가 500㎣, 또는 직경이 1cm이상)
3) 고칼슘혈증(〉)10.2mg/dL), or 고인산염혈증(〉)6.0cm/dL)

---

+ 다음 중 한가지

a. 높은 뼈전환, 방사선 소견상 섬유뼈염
b. 심한 증상
c. 이소성 석회화의 진행
d. Calciphylaxis
e. 뼈소실의 진행
f. EPO에 반응하지 않는 빈혈
g. 확장성 심근병증의 소견

---

## C. 수술 전 병소 위치 찾기 (parathyroid gland localization)

• **확실한 수술적 치료의 적응증이 있을 때**, 수술 계획을 위해 시행한다.

• **비침습적인 방법**

① $^{99m}$Tc-sestamibi scintigraphy

- 비정상 부갑상선 조직에 친화력을 가진다.
- $^{123}$I 와 함께 이용하여 subtraction imaging을 얻을 수 있다.
- 조기(early) & 지연(delayed) 영상을 얻을 수 있다. (dual phase)

② Cervical ultrasound

- 저렴하고 비침습적인 방법으로 부갑상선을 평가할 수 있다.

- $^{99m}$Tc-sestamibi scintigraphy와 함께 사용하였을 때 더 민감하다.

③ CT or MRI

- **침습적인 방법**

: 지속성 혹은 재발성의 부갑상선 기능항진증, 재수술의 상황 등에서 이용된다.

① Real-time conventional Selective Venous Sampling(SVS)

- 가장 민감한 localization 방법

- Baseline PTH 값은 iliac v.에서 얻어진다.

- IJV, innominate v., SVC 등 목과 종격동의 다양한 level에서 PTH를 측정한다.

- 기저치의 2배 이상 증가한 경우 양성

② 초음파 유도 세침흡인검사 (FNA)

## D. 부갑상선 절제술

- Bilateral Neck Exploration(BNE)

: primary HPT 수술의 gold standard

: 모든 부갑상선을 노출하여 확인하고 커진 조직을 제거한다. (완치율 95%)

① Single gland disease 인지 Multi-gland disease 인지 구분

② Single parathyroid adenoma인 경우

→ **해당 병소만 제거**한다.

③ Multi-gland hyperplasia가 있는 경우

→ <u>Total</u> cervical parathyroidectomy

**with Heterotopic transplantation** of parathyroid tissue (보통 전완부)

또는 <u>Subtotal</u> parathyroidectomy

(Subtotal parathyroidectomy을 하는 경우 혈류 공급이 잘 되는 부갑상선을 하나 남긴다.)

- Minimally Invasive (open) Parathyroidectomy
- Endoscopic Parathyroidectomy
- Video-Assisted Parathyroidectomy

## E. 지속성 혹은 재발성 부갑상선 기능항진증의 수술

- **지속성**: 수술 후 1일 째 측정한 intact PTH 수치의 최저치가 60pg/mL 이상
  (종격동 내 부갑상선이 가장 흔한 원인)
- **재발성**: 초기에는 감소하였다가 다시 상승한 경우
  (자가이식편, 경부 및 종격동의 잔존 샘조직, 폐전이, 갑상선 주변 부갑상선 조직의 파종 등)

**(그림) 처음 수술에서 놓쳤던 Parathyroid gl.를 이차수술에서 발견하는 위치**

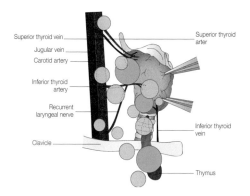

## F. 기타 부갑상선 질환

### 1. 가족성 부갑상선 기능 항진증

① MEN I : Parathyroid hyperplasia, Pituitary adenomas & Pancreatic islet cell neoplasia,

② MEN 2A : Medullary thyroid carcinoma, Pheochromocytoma, Parathyroid hyperplasia

### 2. 임신시에 부갑상선 기능 항진증

- 신생아 경련, 사산 및 유산과 관련
- 진단 시 가능하면 **임신2기**때 수술.

## 3. 부갑상선 암 (Parathyroid carcinoma)

• Primary HPT의 1%도 되지 않는 드문 질환

① 특징

a. 호발연령: 40-50대

b. serum Ca의 상승을 동반한 상태에서 palpable mass

c. 쉰 목소리를 동반하는 경우 되돌이후두신경의 침범을 의심할 수 있음

② 진단

• 조직검사로 capsular or vascular invasion 확인

• Ca, PTH, ALP : 크게 상승

• molecular maker인 Ki-67를 면역염색으로 확인하는 것도 도움이 된다.

③ 치료

• 악성 부갑상선 동측 갑상선 옆 및 주변 연부 조직에 대한 근치적 절제술

• 수술 상황에서 암과 adenoma를 구분하는 것이 중요하다.

## 4. Hypercalcemic crisis

① end-organ의 기능장애로 인해 serum Ca level이 심각하게 증가하는 상태

(보통 serum Ca 〉 14mg/dl 일 때 발생)

② multiple myeloma, lymphoma, leukemia, 유방, 폐, 췌장암 등의 각종 종양 때 나타날 수 있다.

③ 임상양상

• 급격히 발생하는 근육약화, N/V, 복통, 변비, 피로, Drowsiness, Confusion, oliguria 등

→ 급성병색으로 진행

④ 치료

• 치료목표

: 탈수교정, 신장에서의 칼슘배출 향상시킴, bone resorption억제, 기저질환 치료

• 응급조치

a. 생리식염수 경정맥주입으로 소변량 100ml/hr 이상 유지

b. 그 후 loop diuretics (furosemide)로 소변에서의 Na, Ca 배출증가시킴.

c. 그럼에도 혈청칼슘치가 높으면 Calcitonin이나 Bisphosphates 이용

• definite Tx인 부갑상선절제는 혈청 칼슘치가 낮아진 후 시행한다.

### 5. 고칼슘혈증과 악성 종양과의 관계

- 입원환자에선 악성종양으로 인한 고칼슘혈증이 부갑상선기능항진증으로 인한 고칼슘혈증보다 더 많다.
- 고칼슘혈증과 흔히 관련되는 악성종양 - 유방암(m/c), 폐암, multiple myeloma 등
- 악성종양에서 고칼슘혈증이 발생하는 mechanism
  ① 골용해성 전이병변에서의 cytokine 방출
  ② 종양으로부터 PTH-related protein(PTHrP) 분비
    - humoral hypercalcemia of malignancy (악성종양으로 인한 고칼슘혈증의 80%)
  ③ 종양으로부터 calcitriol 분비
    - Hodgkin lymphoma나 non-Hodgkin lymphoma에서 흔함

## ■ 부갑상선 기능 저하증

- 가장 흔한 원인은 **갑상선 수술 도중의 부갑상선조직의 손상**이다.

> - 칼슘은 수술 후 48~72시간 내에 최하로 감소된 후 2~3일 후에 정상화 됨.
> - **칼슘은 수치가 빨리 떨어질수록, 오래 지속될수록** 부갑상선 손상의 가능성은 커지고 회복에 대한 예후는 불량함.

### 1. 임상양상

① 초기소견 : Numbness & Tingling in the circumoral area, fingers & toes
② 정신변화 : Anxious, Depressed & Confused
③ 신경학적
  - Tetany : carpopedal spasms, tonic-clonic convulsions, laryngeal stridor "Chvostek's sign", "Trousseau's sign", Carpal spasm

### 2. 치료

① Calcium gluconate or Calcium chloride 정주
② 장기간의 vitamin D & oral Calcium 복약

▶ 추가노트 ·········································································

※ 부갑상선암은 예후는 좋지 않으며, 초기수술 시 **완전절제여부**가 중요한 생존요인이며 종양 재발시 hypercalcemia 를 막기 위해 재수술해야 한다.

# 05 다발성 내분비 종양 증후군

*Multiple Endocrine Neoplasia Syndrome*

• 모두 Mendelian AD (autosomal dominant) trait으로 유전된다.

| MEN1 | MEN2A | MEN2B |
|---|---|---|
| ① 부갑상선 비대증 | ① 갑상선수질암 | ① 갑상선 수질암 |
| ② 췌장 및 십이지장의 신경내분비 종양 | ② 갈색세포종 (Pheochromocytoma) | ② 갈색세포종 (Pheochromocytoma) |
| ③ 뇌하수체 선종 | ③ 부갑상선 비대증 | ③ 점막 신경종 (Mucosal neuroma) |
| | | ④ 마판증후군 같은 양상 (Marfanoid habitus) |

## ▧ MEN 1형

• 20, 30대에 호발. 10세 이전에는 드묾. M=F

• AD, nearly 100% 발현

• 모든 components가 나타나는 것은 아니다.

  ① Parathyroid hyperplasia (90-97% m/c)

  ② Neuroendocrine tumor of Pancreas & Duodenum : 30-80%

    └ Gastrinoma > Insulinoma

  ③ Pituitary tumor : 15-50%

  ④ Foregut & thymic carcinoids

  ⑤ non-endocrine neoplasms (facial angiofibromas, lipomas, collagenomas)

• **가장 흔한 임상양상 : 소화성 궤양 (및 합병증) > 저혈당**

## MEN 2A & 2B 형

• RET protooncogene과 관련됨, AD trait, nearly 100% 발현

• 유형

  ① <u>MEN 2A</u> : bilateral MTC (거의 모든 환자에서 나타남), pheochromocytoma (40-50%), parathyroid
      hyperplasia (20-35%)

  ② <u>MEN 2B</u> : bilateral MTC & mucosal neuroma & megacolon (모든 환자에서 나타남)
      MEN 2A보다 조기 발병, 경과가 매우 좋지 않다.(→ 예후와 직접연관)
      pheochromocytoma (40-50%), diffuse ganglioneuromas of GI tract, 골격계 이상,
      marfanoid habitus

# 06 내분비 췌장

*Endocrine Pancreas*

(표) Pancreatic tumor system의 Endocrine cells ★★

| Cells | Content | Tumor Syndromes | Clinical Features | % Malignant | % Multiple | MEN-1 |
|-------|---------|-----------------|-------------------|-------------|------------|-------|
| A | Glucagon | Glucagonoma | Necrolytic migratory erythema, diabetes, anemia | (50–80%) | Rare | Few |
| B | Insulin | Insulinoma | Hypoglycemic symptoms | 10 | 10 | 10% |
| D | Somatostatin | Somatostatinoma | Diabetes, gallstones, steatorrhea | Nearly all | 0 | – |
| D2 | VIP | VIPoma | High volume secretory diarrhea, hypokalemia, metabolic acidosis, hypochlorhydria | 50 | Rare | Few |
| EC | Substance P and serotonin | | – | – | – | – |
| G | Gastrin | Gastrinoma | acid hypersecretion gastric/ duodenal ulcers, diarrhea | Nearly all (75–100%) | | 25% |
| F | Pancreatic polypeptide | PPomas | – | | | Frequent |

# HISTOMORPHOLOGY OF ISLETS

- Islet은 성인췌장무게의 2% 이하로 1g 정도에 해당한다.
- Human pancreatic islet cell types

  ① A (α) cell: Glucagon 분비

  ② B (β) cell: Insulin 분비

  ③ D (δ) cell: Somatostatin 분비

  ④ D2 (delta-2) cell : VIP 분비

  ⑤ F cell : PP (Pancreatic polypeptide) 분비

- Islet내 세포의 위치

  ① Beta cells : islet의 중심부

  ② A, F cells : islet의 주변부

  ③ D, EC cells : islet 내 균일하게 분포

- 세포의 췌장 내에서의 분포

  ① B, D cells: body & tail에 집중적으로 분포

  ② F cells: uncinate process에 주로 분포

  ③ A cells: 고르게 분포

# Pancreatic Neuroendocrine Tumors (PNETs)

- 2010년부터 Neuroendocrine tumor라는 명칭으로 통합되고, 그 조직학적 분화도와 병기에 따라 NET를 분류한다.
- 대부분 무기능의 양성종양임
- 다른 목적으로 행해진 영상 검사에서 발견되는 경우가 증가하고 있음
- **악성기준**은 간단하다.

  전이를 하면 악성이다.

- 인슐린 분비 PNETs(insulinoma)의 10%, 글루카곤 및 성장억제호르몬 분비 PNETs의 거의 대부분이 악성이다.
- 대부분의 PNETs은 산발적으로 발생하지만 일부는 genetic syndrome과 관련된다. (m/c: MEN-1)

  cf. MEN-I

  ┌ a. Parathyroid, Pituitary & **Pancreas의 종양**

  │　　　　　　　　　　　　└─ 글루카곤종 (25%), **인슐린종 (10%)**

  ├ b. 11번 염색체이상, AD유전

  └ c. 먼저 **부갑상선 기능항진증**부터 치료하는 것이 원칙

(그림) 췌장신경내분비종양(PNETs) 의심 환자에 대한 접근법

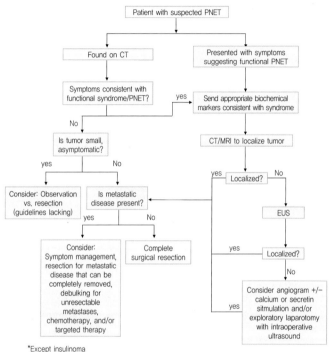

*Except insulinoma

- PNETs이 의심되는 환자에서는,
  a. functional tumor의 증상이 있는지 자세히 문진
  b. 필요한 경우 생화학적인 검사
  c. 위치를 확인하기 위해 cross-sectional 혹은 심화된 영상검사를 시행
  d. 전이가 있는지 평가

# ■ 인슐린 분비 췌장신경내분비종양 (Insulin-secreting PNETs)

• m/c functioning tumor

## 1. 임상양상 및 진단

① 증상

• Whipple triad : 완전히 진단적 가치가 있는 것은 아니다.

> ┌ a. 저혈당증상 (∵카텍콜라민 분비)
> ├ b. 낮은 혈당치 (40~50mg/dl)
> └ c. IV glucose투여후 증상완화

• 자율신경계 과다 증상

; 피로, 허약, 공복감, tremor, 발한, 빈맥, irritability, 의식 혼돈, 지남력 소실…… 혼수

② 진단

> a. a. 인슐린/포도당 비 〉 0.3 (인슐린: uU/mL, 포도당: mg/dL)
> b. 저혈당 유발 : 24시간 공복 후 → 2/3가 저혈당 유발
>               72시간 공복 후 → 95% 저혈당 유발(gold standard)
> c. C peptide ≥ 1.2 µg/mL 이면서 혈중 포도당 〈 40 mg/dL

## 2. 위치 찾기

① PNETs 의심 환자에서의 알고리즘을 따라 종양의 위치를 찾는다.

- CT나 MRI에서 찾을 수 없는 경우 EUS를 시행한다.

(모든 크기의 종양에서 민감도 90%, 3cm이하의 종양의 경우 CT나 MRI보다 나은 민감도)

② 인슐린 분비 PNETs는 다른 대다수의 PNETs과 달리 SRS(Somatiostatin receptor scintigraphy)가 효과적이지 않다.

③ 수술 전 위치 확인이 안될 경우, 전체 췌장과 십이지장에 대하여 **수술 중 초음파**와 함께 주의 깊게 촉진 및 탐색한다.

## 3. 치료

① 수술적 치료

- 대부분(90%)이 양성이므로 Enucleation이 선호됨
- 단, 종양이 주췌관으로부터 2mm 이내에 있는 경우 enucleation이 시행되어서는 안됨
  → 주췌관에 인접하였거나 크기가 큰 경우에는 anatomic resection 시행
- 악성인 경우(전이가 있는 경우),
  → 모든 원발병소와 전이 부위 제거

② 이 외의 치료

- somatostatin analogue
- hepatic a. tumor embolization
- diazoxide(인슐린 분비 억제제)
- streptozotocin + 5-FU

③ 전이된 경우에도 수술적 절제 후 median survival은 5년

## ■ 가스트린 분비 췌장신경내분비종양 (Gastrinoma, Zollinger-Ellison syndrome)

- 두번째로 흔한 islet cell tumor이면서, 가장 흔한 췌장의 악성내분비종양임
- 남성에서 조금 더 흔하다. (60%)
- Sporadic: 75% vs. MEN1과 관련: 25%

### • 고가스트린혈증의 원인

1. 가스트린분비 자극증가
   ① ZES (gastrinoma)
   ② Antral G cell hyperplasia ± pheochromocytoma
   ③ Pyloric obstruction

2. 가스트린 분비 억제
   ① 위산분비 저하 및 무분비
      a. Atrophic gastritis
      b. 악성빈혈 (Pernicious anemia)
      c. 위암
      d. Vitiligo
      e. 위산분비 억제제 (H2R antagonist, PPIs)
   ② Antral exclusion operation
   ③ Vagotomy

## 1. 임상양상 및 진단

① 증상 : 위산과다분비로 인해

- 복통 : 75%
- 설사 : 복통을 보이는 환자의 2/3가 설사 동반 (설사만 나타나는 경우는 10~20%)

  → NG tube 흡입 시 증상 호전 (다른 이차성 설사와 감별점)

- 십이지장궤양) 위궤양 (jejunal ulcer 역시 생길 수 있으며, 이 경우 ZES를 의심해야)
- MEN-1에서, 가장 흔히 침범되는 부위는 **"부갑상선"** 으로 95%환자가 **고칼슘혈증**를 보인다.

  다음으로는 ZES (54%) > Insulinoma (21%), Pituitary lesion은 Nonfunctioning adenoma) > Prolactinoma

② 진단

> a. Gastrin (위산과다분비시) > 1,000pg/ml (정상은 < 100pg/ml)
>
> b. Basal acid output > 15mEq/hr (정상은 5mEq/hr)
>
> c. Gastric juice pH < 2
>
> d. Secretin stimulation test : gastrin 증가분 > 200pg/ml

③ 임상적으로 ZES 가능성을 생각 해야 하는 상황

> a. **악성 소화성 궤양**/GERD diathesis (DU mc)
>
> b. anti-H. pylori Tx.혹은 H2-blocker를 사용해도 증상이 **호전되지 않거나** H. pylori감염이 없는 소화성 궤양
>
> c. 지속적인 **분비성 설사** (NG suction 후 증상 호전)
>
> d. **MEN-I**의 증상 혹은 징후가 나타날 때 ( Ca↑, PTH↑, pituitary tumor)

## 2. 병리

① 90%의 gastrinoma는 Gastrinoma triangle 내에서 발견되며 60% 이상이 십이지장에서(특히 1st portion)에 위치함

(그림) Gastrinoma Triangle

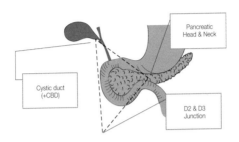

Pancreatic Head & Neck

Cystic duct (+CBD)

D2 & D3 Junction

② Sporadic vs MEN-1 related "Sporadic form"은 "간전이"가 잘되어 더 악성도가 높다.

　　MEN-1 환자의 60~80%는 duodenal gastrinoma이며 국소림프절로 전이를 잘 한다(85%).

③ 전이

- 림프절 전이

: 종양 크기와 위치에 상관없음.

놀랍게도 림프절 전이 여부와 생존에 영향을 미치지 않는다.

- 간전이

: 생존에서 중요한 인자 (전이시 10년 생존율 30%, 전이가 없으면 90% 생존)

### 3. 위치 찾기

① 알고리즘에 따라 CT나 MRI를 시행 (oral contrast를 이용)

② SRS (Somatostatin Receptor Scintigraphy)

  • 거의 모든 gastrinoma가 somatostatin receptor를 발현

③ EUS : 작은 췌장의 병변을 찾는 데 유용

④ Angiography ± stimulation

⑤ 위의 검사들이 다 성공적이지 못할 경우 operative exploration

  • 전체 복부에 대하여 탐색 (특히 간 주위 등)

  • 수술 중 초음파는 작은 췌장 병변이나 간전이를 확인하기 위해 일반적으로 사용됨

### 4. 치료

① 치료 목표: acid secretion을 막고 증상을 완화

② High dose PPIs (Proton Pump Inhibitors)

  • 안전하고 효과적이며 가장 좋은 결과

  • gastric acid output을 5mEq/hr 이하로 감소시킬 수 있는 용량 필요

③ 수술적 치료

  • 근치적 절제가 가능해보이는 경우나 증상 조절을 위해 palliative cytoreduction이 필요한 경우

  • Enucleation: 작고 피막이 잘 형성된 췌장 내 종양에서만

  • Segmental resection: gland 내에 깊게 위치한 크고 피막이 없는 병변

  • 주위 림프절에 대한 절제도 생존율을 향상시킴

④ gastrinoma의 전이성 병변의 치료

  • 50%이상의 환자가 첫 진단 당시 전이된 상태

  • 증상 조절이 목표이며, 90% 이상의 환자에서 PPI로 조절됨 (하루 60-80mg Pantoprazole)

⑤ Gastric carcinoid tumor가 있는 경우에는 total gastrectomy

# 07 뇌하수체 및 부신

*Pituitary & Adrenal Gland*

 **해부**

• 부신은 후복막장기로서 신장의 위내측면에 위치한다. 약 4g

Rt

• pyramid shape, IVC와 인접함
Rt, diaphragmatic crus 및
간의 bare area와 접한다.

Lt

• larger & flatter
**Pancreatic tail**과 splenic a.가 있는
부위에서 신장과 대동맥 사이에 위치

### 1. 구조

① **피질** : bright yellow, thick

| | | |
|---|---|---|
| a. **바깥층** zona glomerulosa : | Mineralocorticoid 생성 | |
| b. **중간층** zona fasciculata : | Glucocorticoid & Androgen 생성 | |
| c. **안층** zona reticularis : | Glucocorticoid & Androgen 생성 | |

※ Zona fasciculata & reticularis에는 17 α Hydroxylase가 있어

 C-17에서 pregnenolone과 progesterone을 산화시킨다.

 → Cortisol 및 Sex hormone이 생성될 수 있게 됨

  Mineralocorticoid는 zona glomerulosa에서 parallel pathway를 통해 이루어진다.

(그림) Adrenal steroid biosynthesis

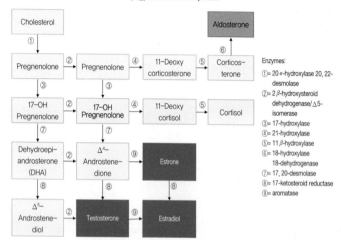

Enzymes:
①= 20 α-hydroxylase 20, 22-
 desmolase
②= 2 β-hydroxysteroid
 dehydrogenase/△5-
 isomerase
③= 17-hydroxylase
④= 21-hydroxylase
⑤= 11 β-hydroxylase
⑥= 18-hydroxylase
 18-dehydrogenase
⑦= 17, 20-desmolase
⑧= 17-ketosteroid reductase
⑨= aromatase

② 수질 : red-brown

- Chromic salt를 침착시키는 **Catecholamine**을 함유한 세포를 지님 (→ Chromaffin cells)

### 2. 혈관

- Arterial supply → diffuse
- Venous drainage → solitary

① 동맥

| | |
|---|---|
| • Inf. phrenic a. | → sup. adrenal a. |
| • Aorta | → middle adrenal a. |
| • Renal a. | → Inf. adrenal a. |

※ 우측부신의 주요혈액공급은 Sup. & Inf. adrenal aa.로부터이며 좌측부신은 Middle, Inf. adrenal aa로부터임.

② 정맥

---

• Rt  adrenal v. → IVC

---

• Lt  adrenal v. → Lt. renal v.

---

(그림) Adrenal gl.의 Arterial supply & Venous drainage

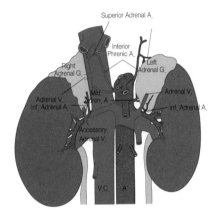

## 부신피질 질환

### ■ Cushing's Syndrome

---

• **Cushing's syndrome** : 원인에 관계없이 hypercortisolism의 증상과 징후가 나타나는 경우

---

• **Cushing's disease** : pituitary adenoma에 의한 Cushing's syndrome

---

• m/c cause: 스테로이드 사용환자 (exogenous)

• Endogenous Cushing syndrome은 백만명 중 5-10명의 빈도로 발생

---

① ACTH dependent (80~85%)

: Bilateral adrenal hyperplasia와 항상 연관됨.

- Cushing's disease (ACTH-producing pituitary tumor
- Ectopic ACTH syndrome (ex, Bronchogenic carcinoid or SCLC)
- Ectopic CRH syndrome

② ACTH independent (15%)

- 부신선종 (10%)
- 부신선암 (8%)
- 부신피질과다증식 (1%)

③ Pseudo-Cushing's syndrome : major depression, Alcoholism

---

## 1. 임상양상

- Cushing's syndrome에 비교적 특이한 소견

Central obesity, Plethora, 복부 및 상하지에 넓은 자주색 띠 (purple striae) , 쉽게 멍 듦, 다모증 근위근육 약화 , Inappropriate osteopenia

### (표) Cushing's syndrome의 임상양상

1. 일반적인 증상
   - *Central obesity*
   - *Proximal muscle weakness*
   - Hypertension
   - Headaches
   - Psychiatric disorders
2. 피부증상
   - *Wide ( >1cm), purple striae*
   - *Spontaneous ecchymoses*
   - *Facial plethora*
   - Hyperpigmentation
   - Acne
   - Hirsutism
   - Fungal skin infections

3. 내분비 및 대사성 장애
   - *Hypokalemic alkalosis*
   - Osteopenia
   - Delayed bone age in children
   - Menstrual disorders, decreased libido, impotence
   - Glucose tolerance, diabetes mellitus
   - Kidney stones
   - Poluria
   - Elevated white blood cell count

## 2. Cushing's Syndrome에서의 생화학검사

• 외부 Glucocorticoid 투여로 억제되지 않는 Hypercortisolism을 확인하자.

(그림) Cushing's sydrome에 대한 진단적 접근

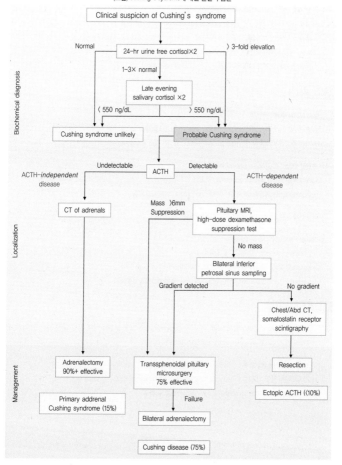

87

## 선별 검사

① 24-hour Urinary Free Cortisol

  • Cushing's syndrome의 가장 민감하고 (95-100%) 특이한 (98%) 선별검사

② Overnight 1mg Dexamethasone-suppression test

  • 1mg Dexa 11:00pm → 다음날 8:00am Plasma cortisol < 1.8 mcg/d

  • 환자를 입원시켜야 하는 불편함 때문에  sabiston에서는 salivary cortisol testing을 추천

③ Late evening salivary cortisol >550ng/mL

  • 민감도 93%, 특이도 100%

## 확진 검사

① 혈청 ACTH 수치

  a. 85% ACTH-의존성 : Pituitary or Ectopic origin ⇒ ACTH 증가

  b. 15% ACTH-비의존성 : Primary adrenal origin ⇒ ACTH 감소 < 5pg/mL

② 고용량 dexamethasone-suppression test

  a. ACTH-secreting pituitary adenoma : 억제됨

  b. Adrenal tumor & Ectopic ACTH-producing tumors : 억제되지 않음

③ 영상검사 : CT & MRI of Pituitary or Abdomen

④ Inferior Petrosal Sinus Sampling

  • pituitary cause을 구분하는데 유용

  • [Inferior petrosal sinus에서의 ACTH]/[peripheral plasma ACTH]

    : basal level이 2.0, CRH 투여 후 3.0 이상일 경우 Pituitary adenoma

### 3. 각 질환별 치료

① "Cushing's disease" - 영상에서 6mm 이상의 pituitary mass + 고용량 DM 억제 검사 양성 시

  • Transsphenoidal resection of the pituitary tumor

② "Ectopic ACTH syndrome"

  • 가장 흔한 원인 : SCLC (Small cell lung cancer), Bronchial carcinoids

  • 흔히 심한 metabolic alkalosis 및 hypokalemia를 동반함

- Ectopic ACTH hypersecretion를 추정케 하는 소견★
  a. urinary free cortisol 증가
  b. plasma ACTH 증가
  c. "고용량의 dexamethasone에 억제 안됨"
- 치료
  a. 일차병소제거, 절제되지 않는 경우 Debulking 시도
  b. Metyrapone, Aminoglutethimide & Mitotane을 이용한 Medical adrenalectomy
  c. Bilateral adrenalectomy
  : 조절안되는 hypercortisolism이나 ectopic ACTH source를 찾지 못할 경우

③ 부신선종 & 부신피질 과다증식증
- 치료 : 부신절제술
  - 6cm 이하시 : 복강경 부신절제술이 표준 술식
  - 6cm 이상시 : 개복 부신절제술

④ 부신피질선암
- 치료 : 근치적 절제술

# ■ 알도스테론증 (Aldosteronism)

## 1. 종류

① 1차성 알도스테론증 : 남자가 약간 많고, 평균 발병나이 50대, 빈도는 논란이 많다.(고혈압 환자의 1~7%)
② 2차성 알도스테론증 : 일차질환"을 먼저 치료해야 한다.

Renal artery stenosis, Cirrhosis, CHF, Pregnancy 후 속발

**(표) Hyperaldosteronism의 원인**

### 1. 일차성 알도스테론증
a. Aldosterone-producing adenoma (60%)
b. Idiopathic bilateral adrenal hyperplasia (35%)
c. Adrenal carcinoma ($<$ 1%)
d. Glucocorticoid-suppressible aldosteronism ($<$ 1%)

### 2. 이차성 알도스테론증
a. Renal artery stenosis
b. Congestive heart failure

## 2. 증상 및 징후

• Aldosterone에 의한 sodium retention → 고혈압
 : 환자들은 전형적으로 약물치료에 반응하지 않는 중등도에서 중증의 고혈압을 가진다.
• 대부분의 환자는 무증상
• 저칼륨혈증 : 중증 혹은 질환 말기에 나타나는 현상으로 보임
          근육 경련, 근력 약화, 감각이상, 피로 등
• 심뇌혈관계 질환의 위험도 증가

## 3. 진단

①

| a. 부종이 없는 이완기 고혈압 |
| b. Volume 결핍에도 불구하고 renin 분비가 적을 경우 |
| c. 혈관내 용적를 증가시켜도 알도스테론 분비가 많은 경우 |

② 진단과정

알도스테론증 의심
- 약물치료에 반응하지 않는 고혈압
- 설명되지 않는 저칼륨혈증
⇨ 일차성 알도스테론증
선별검사 및 확진검사
⇨ 부신 병변
localization

(그림) 일차성 알도스테론증의 진단, 위치확인, 치료

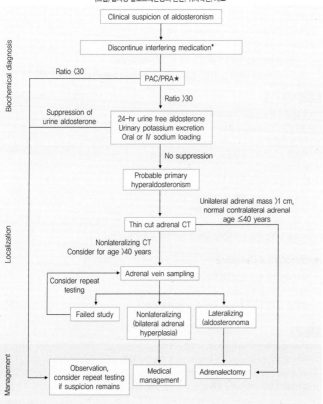

**Biochemical diagnosis**

Clinical suspicion of aldosteronism
↓
Discontinue interfering medication*
↓
Ratio ⟨30 ——— PAC/PRA★
↓ Ratio ⟩30

Suppression of urine aldosterone ——— 24-hr urine free aldosterone
Urinary potassium excretion
Oral or IV sodium loading
↓ No suppression

Probable primary hyperaldosteronism

**Localization**

Unilateral adrenal mass ⟩1 cm,
normal contralateral adrenal
age ≤40 years

Thin cut adrenal CT

Nonlateralizing CT
Consider for age ⟩40 years
↓
Consider repeat testing —— Adrenal vein sampling

Failed study

Nonlateralizing
(bilateral adrenal
hyperplasia)

Lateralizing
(aldosteronoma

**Management**

Observation,
consider repeat testing
if suspicion remains

Medical
management

Adrenalectomy

*interfering medication : spironolactone, ACEi, diuretics, β -blockers

- 선별검사 = Plasma aldosterone concentration / plasma renin activity (PAC/PRA)
  : Ratio > 30 (ng/dL)/[ng/(mL*hr)]
  (absolute aldosterone concentration > 15mg/dL이면 특이도 증가)
- 확진검사 = IV saline loading (2~3L의 등장성식염수를 4~6시간에 걸쳐 정주)
  혹은 Oral sodium loading (매일 5000mg의 sodium을 3일간 투여)
  : 24hr urine aldosterone excretion 측정
- **위치확인(localization)**
  ① 대부분의 aldosteronoma는 15mm보다 작음
  ② Thin-cut (3mm) adrenal CT가 localization을 위한 첫 검사
  ③ CT에서 병변이 발견되지 않거나, 양측 모두 의심되는 소견이 있을 때
  → Adrenal vein sampling(AVS)을 선택적으로 시행 (lateralization)
  : 좌, 우측의 adrenal vein에서 채취한 혈액 내 aldosterone/cortisol ratio가 한쪽의 4배 이상인 경우

### 4. 수술적 치료

- 수술 전 고혈압 조절과 적절한 칼륨공급이 중요
- 복강경 부신절제술이 선호됨
  - 효과: 저칼륨혈증 경감, 고혈압 치료
- 다음과 같은 환자군은 수술적 치료의 이점이 적은 편
  ① 45세 이상의 남성
  ② 고혈압의 가족력
  ③ 장기간의 고혈압 병력
  ④ spironolactone에 반응하지 않는 경우
  cf. 양측성부신과다형성으로 인한 이차성고알도스테론 환자에서는 전체 환자의 20~30%에서만
  수술적 치료가 도움이 되므로 내과적 치료 후에 수술적 치료 고려

## ■ Adrenocortical Carcinoma

- 극히 드물지만 발견시 상당히 진행되어 있는 경우가 많다.
- 50%이상이 기능성 - Cushing syndrome (m/c)
- 호발연령 : 거의 대부분이 40-50세, 일부 5세 이하의 소아

### 1. 진단

- Cushingoid & virilizing features의 급격한 진행시
- **6cm 이상**의 adrenal mass인 경우 carcinoma일 가능성이 높다.
- CT & MRI, 전이여부 확인 위해 chest CT, bone scanning
- CT에서 크기가 크거나 비균질한 음영, 불규칙한 경계, 괴사, 주위조직 침범 등의 소견

### 2. 치료 : 완전절제

# ■ 부신 기능부전 (Adrenal Insufficiency)

• 호발 연령 : 20-40대

## 1. 원인

**(표) Adrenal insufficiency의 원인들**

---

1. 일차성 부신 기능부전 - 부신의 저형성, 스테로이드 생성장애, 구조적 파괴 등으로 인함

   ① 자가면역질환 (m/c)

   ② 감염

   　Tuberculosis, fungal infections, cytomegalovirus infection, human
   　　immunodeficiency virus-associated infection

   ③ 악성종양 전이

   　Lung, gastric, breast, melanoma, lymphoma

   ④ Adrenal hemorrhage

   　Waterhouse–Friderichsen syndrome, coagulopathy

2. 이차성 부신 기능부전 - ACTH deficiency로 인함

   ① **Exogenous steroid use (m/c)**

   ② Pituitary disease

   　Tumor, hemorrhage, infarction (e.g. Sheehan syndrome)

   ③ Surgery

   　After transsphenoidal removal of a pituitary tumor

   　After removal of a functioning adrenal tumor

   ④ Drugs

   　Mitotane, metyrapone, aminoglutethimide

   ⑤ Critically ill patients - sepsis or SIRS

---

## 2. 임상양상

| | |
|---|---|
| • 피로 | • 저나트륨혈증 |
| • 쇠약 | • 고칼륨혈증 |
| • 식욕 부진 | • (쇼크) |
| • 구역/구토 | • (발열) |
| • 체중감소 | • (복통) |
| • 과다색소침착 | • (종종 저혈당) |
| • 저혈압 | |

## 3. 진단

(그림) 부신기능부전의 진단

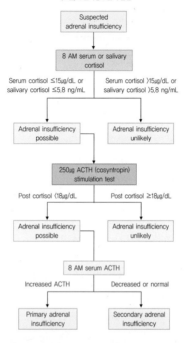

## 4. 치료

① Chronic adrenal insufficiency의 치료

- 성인에서 하루 cortisol 생산량은 약 10~20mg

  → prednisone (PO) 5mg/day로 대체 가능

- Mineralocorticoid 보충

  → fludrocortisone 0.1mg/day

- 생리적 스트레스 상황에 맞는 증량이 필요함

  : Minor stress - mild infection

  : Major stress - trauma, significant infections, burns, elective surgery

② Adrenal crisis의 치료

- IV 수액보충!! : 〉 2 liters (large-volume), isotonic saline
- Glucocorticoid 보충 : hydrocortisone (100mg, IV, 6-8시간 간격)

  또는 Dexamethasone (4mg, IV, 24시간 간격)
- Mineralocorticoid 보충은 우선순위가 늦다.

## ADRENAL MEDULLA

- Neural crest에서 유래
- Dopamine, Norepinephrine, Epinephrine 분비
- Catecholamine의 대사 : 결국 소변으로 배설된다.

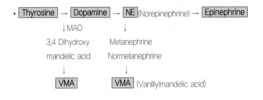

- | Thyrosine | → | Dopamine | → | NE |(Norepinephrine) → | Epinephrine |
  
  ↓MAO               ↓
  
  3,4 Dihydroxy      Metanephrine
  
  mandelic acid      Normetanephrine
  
  ↓                  ↓
  
  | VMA |             | VMA | (Vanillylmandelic acid)

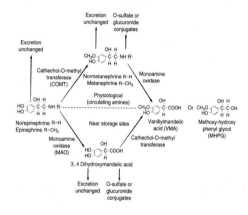

(그림) Catecholamine metabolism의 biosynthetic pathway

cf) 참고

① α receptor : NE에 higher affinity
- α1 : **혈관수축**, Papillary dilatation, Uterine contraction
- α2 : presynaptic NE 분비조절 & 혈소판 응집
    ※ α Blocker : Phentolamine, Phenoxybenzamine

② β receptor : isoproterenol에 higher affinity
- β1 : **심장근**, 지방세포, 소장에 작용
- β2 : 혈관, 기도, 자궁근육, 골격근, 간에 작용
    ※ β Blocker : Propranolol

■ 갈색 세포종 (Pheochromocytoma) ★★★

· 빈도 : 고혈압 환자의 0.2%를 차지
· 호발연령 : 40-50대

• 연관질환

| 다발성 내분비종증 증후군 | 신경섬유종증 |
|---|---|
| 제2a형 다발성 내분비선종증 | von Hippel Lindau병 |
| 갑상선 수질암 | 모세혈관확장성 운동실조증 |
| 부갑상선 기능항진증 | 결절성 경화증 |
| 갈색세포증 | Sturge–Weber 증후군 |
| 제2b형 다발성 내분비선종증 | 부신외 신경절증 |
| 갑상선 수질암 | 위 상피세포양 평활근육종 |
| 갈색 세포증 | 폐 연골증 |
| 부갑상선 기능항진증 | |
| 마르판(marfanoid) 표현형 | |
| 내장 신경종증 | |
| 신경피부 증후군 | |

## 1. 특징

① 부신수질의 친크롬성세포 (chromaffin cell)에서 생긴 Catecholamine을 분비하는 부신종양

② Rule of Tens ★

**양측성** 10%, **부신밖** 10%, **가족성** 10%, **악성** 10%, **소아** 10%

(그림) Extra-Adrenal Pheochromocytomas를 Localization한 그림

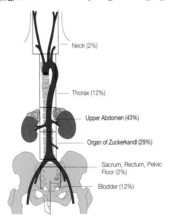

Neck (2%)

Thorax (12%)

Upper Abdomen (43%)

Organ of Zuckerkandl (29%)

Sacrum, Rectum, Pelvic Floor (2%)

Bladder (12%)

▶ 추가노트

cf) 부신 밖에서의 갈색 세포종 (functional paragangliomas)
: 목, 종격동, 복부, 골반, organ of Zuckerkandl의 교감신경전에서 발생하며 "Norepinephrine"만 분비한다.

## 2. 임상양상

① Classic triad: 두통, 식은땀, 두근거림

- 거의 모든 환자가 적어도 세가지 증상 중 한가지 이상을 보임

- 이 외에도 불안, 홍조 등

② 혈압 증가: 90%의 환자에서 종종 나타나거나 지속됨

③ "Biologic time bomb"

- 종양 내 bioactive compounds 유출 시 치명적인 심혈관계 문제를 발생시킬 수 있음

- surgical procedure, provocative testing, <u>percutaneous biopsy</u> 시
  └─ 금기★

## 3. 진단

① Plasma free metanephrine

  a. 매우 높은 민감도(99%) - **음성**일 경우 pheochromocytoma 배제 가능!

  b. 특이도가 높지 않아 위양성이 많다.

② 소변 Catecholamine 분비 증가

  a. 선별검사 중 가장 신뢰할 만하다.

  b. 소변에서의 24시간 Catecholamine, metanephrine, VMA 수치 증가 확인★

  c. 위양성을 일으킬 수 있는 약물

    : sympathomimetics (감기약 내에도 포함), phenoxybenzamine, acetaminophen, TCA, etc.

③ Clonidine suppression test ? 진단이 불명확한 경우

④ CT & MRI

  a. MRI가 약간 더 민감하며, CT는 수술 계획에서 해부학적 확인을 하는 데 낫다.

  b. 부신 우연종의 높은 유병율로 인해 특이도는 70%정도이다.

⑤ [131]I-MIBG(131Iodine-metaiodobenzylguanidine) scan

  a. multifocal disease가 의심될 때

  b. 부신 밖의 작은 병변을 찾는데에 유용★

(그림) Pheochromocytoma의 진단, 위치확인, 치료

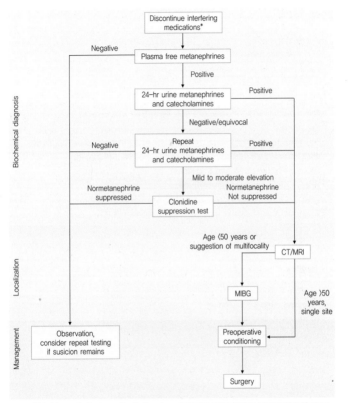

* interfering medications: sympathomimetics, phenoxybenzamine, acetaminophen, many psychotropic drugs

## 4. 치료

### ① 수술전 관리 【14】

> a. 고혈압 조절
> b. α –adrenergic blockade ★ (Phenoxybenzamine, Phentolamine)
> c. 수액 보충
>    카테콜라민을 분비하는 종양에 의한 circulatory collapse을 막기 위해

- **Phenoxybenzamine** (혹은 Phentolamine)을 적어도 **수술 2주 전부터** 사용(prazosin이나 doxazosin처럼 selective agents보다 나음)
- Beta-adrenergic blockade (**Propranolol**)는 빈맥이 있는 환자에서 적절한 α-adrenergic blockade 후 사용해야 한다.
  (**절대로 Beta blocker를 먼저 사용해서는 안됨★ → α-stimulation을 길항하지 못해 심각한 고혈압 유발**)
- Calcium channel blockers (nifedipine & nicardipine)
- 수술 도중 고혈압시 : Sodium nitroprusside 사용

### ② 수술 : open ant approach, post, or laparoscopic, Surgical resection 시행
- 90% 이상에서 완치
- 최근 대부분 복강경으로 시행됨

- 수술 원칙 ★

> a. 종양을 최대한 건드리지 말고
> b. adrenal vein을 빨리 찾아 ligation
> c. capsular rupture를 피한다.

■ 우연히 발견된 부신종괴 ((Incidentally discovered adrenal mass, incidentaloma)

• 영상검사의 보편화로 점차 증가 (복부 영상검사의 1~4%에서, 60대 이상에서는 10%)
• 악성종양의 병력이 있는 환자에서는 전이성 병변이 m/c (특히 양측성인 경우)
• 악성종양의 병력이 없는 환자에서는 수술이 필요 없는 비기능성이거나 양성 종양인 경우가 80%

(그림) Incidental Adrenal mass의 Evaluation

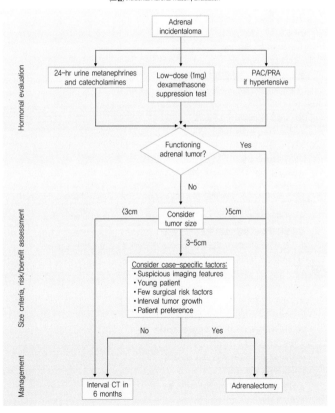

## 1. 감별질환

① 무기능성의 부신피질선종 : m/c (60%) 【17】
② 호르몬을 분비하는 종양 : 갈색 세포종, Cortisol 분비선종, 알도스테론 분비선종
③ 일차성 부신피질 암 : 대부분 6cm 이상
④ 부신으로의 전이 : 유방암, 폐암, 신장암 및 흑색종으로부터

• 종양의 크기에 따른 부신피질암의 빈도
  - 4cm 이하의 부신종양: 2%
  - 4-6cm 크기의 부신종양: 6%
  - 6cm 이상의 부신종양: 25%
  (단, CT&MRI 에서 부신종양의 크기가 20%가량 작게 보이는 경향)
  → 수술 위험이 크지 않은 환자라면 4cm이상의 mass는 수술적 제거

• CT에서 악성을 의심해야 하는 소견★
a. 불규칙하거나 불분명한 경계
b. 괴사
c. 내부의 석회화나 출혈
d. 혈관분포의 발달

• 조직생검
a. 도움이 되는 경우가 드물다
b. 생검 전에 갈색세포종이 아님이 확인되어야 한다.
c. 부신 외 악성종양의 병력이 있는 경우 metastasis 의 진단이 필요한 경우 시행

## 2. 치료

① 호르몬을 분비하는 종양은 adrenalectomy 적응증이다
② 무기능성의 부신종괴 시
  • 3cm 이하인 경우: 6개월 간격으로 경과관찰
  • 3cm 이상의 종괴에 대해서 수술적 절제를 고려하는 경우
    a. 영상 소견이 악성이 의심되는 경우
    b. 지속적인 경과 관찰이 부담스러운 젊은 환자
    c. 수술 위험이 적은 환자
    d. 이전 검사에 비해 종괴의 크기가 커지는 경우
    e. 환자의 선호
  • 5cm 이상인 경우: Adrenalectomy

# 08 식도
*Esophagus*

 해부

## 1. 구분

- pharynx부터 stomach까지의 25-30cm 가량의 hollow organ
- 4 segment로 구분한다.

  : ① Pharyngoesophageal ② Cervical ③ Thoracic ④ Abdominal esophagus

  ※pharyngoesophageal segment에 **약한 부위가 있다.**

  thyropharyngeus m.의 oblique fb에서
  cricopharyngeus m.의 transverse fb로 전환되는 부위

  →내시경 시 "**천공**"이 많으며, "**게실**" 호발함.

① "CERVICAL" esophagus

- 5-6cm 길이
- 기도의 **왼쪽**으로 주행하기 때문에 수술 시 왼쪽 경부 절개선을 통해 접근할 수 있다.

② "THORACIC" esophagus

- 최대직경이 2.5cm으로 가장 큼.

③ "ABDOMINAL" esophagus

- 1-2cm 길이
- **식도 위 연결부위** Z line squamocolumnar epithelial junction

  (즉, 식도의 squamous Epi → 위의 Columnar Epi.로 전환되는 부위)

(그림) Esophagus의 Normal Anatomy

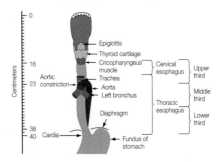

## 2. 해부학적으로 좁아져 있는 부위

① Cervical constriction : cricopharyngeus m. level ← 가장 좁다
② Bronchoaortic constriction : tracheal bifurcation level (T4)
③ Diaphragmatic constriction : LES(lower esophageal sphincter)에 해당

## 3. Layers

① **점막** : Squamous epithelium (예외는 distal 1-2cm으로 junctional columnar epithelium임)
② **점막하층**
③ **"근육층"**
   - 바깥은 longitudinal, 안쪽은 circular muscle
   - 위 1/3- striated m. 아래 2/3 : smooth m.

※ Serosa가 없음! ★ (∴식도암은 예후가 좋지 않다)

### 4. 혈액 및 림프계

① 동맥

※ segmental blood supply를 받음.

    a. Cervical esophagus ← Sup. & Inf. thyroid artery

    b. Intrathoracic esophagus ← Bronchial arteries, aortic esophageal arteries

    c. Abdominal esophagus ← inf. phrenic & Lt. gastric artery

(그림) Esophagus의 Arterial supply

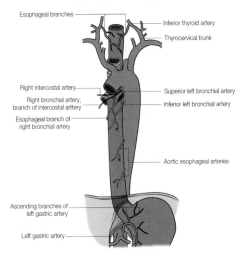

② 정맥 : Inferior thyroid, azygos, hemiazygos, intercostal & gastric vein

(그림) Esophagus의 Venous drainage

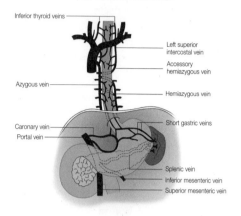

③ **림프계** : **위쪽** 2/3 → 위쪽으로, **아래쪽** 1/3 → 아랫쪽으로 배액됨

## ◤ 식도 질환

### ■ 식도게실 (Esophageal Diverticula) 【16】

· 게실이 잘 생기는 부위

① "PharyngoEsophageal" (Zenkers) diverticula : pharynx와 esophagus의 junction에 발생

② "Parabronchial" (Midesophageal) diverticula : Tracheal bifurcation에 발생함.

③ "Epiphrenic" (Subdiaphragmatic) diverticula : Esophagus distal 10cm에서 발생함.

(그림) Zenkers diverticulum이 생기는 과정

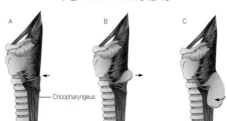

· 구조에 따른 분류

① "True" diverticulum : 전층을 다 지님.

   - Traction diverticula (Parabronchial)이 해당됨.

② "False" diverticulum : 점막 & 점막하층만 지님.

   - Pulsion diverticula (PharyngoEsophageal & Epiphrenic)이 해당됨.

# ■ 부식성 손상 (Caustic injury)

• 보통 부식성 손상시 hypotensive LES를 유발하기 때문에 GE reflux가 발생하여 distal lumen이 유해물질에
계속적으로 노출받게 된다.

## 1. 원인물질에 따른 분류

| Acid Ingestion | Alkali Ingestion |
|---|---|
| • 산에 의한 식도손상은 **적은데** 이는, 식도가 비교적<br>저항력이 있는 Squamous epithelium으로 구성되며<br>급히 위로 넘어가기 때문이다. | • 역시 **Pylorospasm**유발 → **식도로 역류됨**.<br>식도에선 cricopharyngeal m. spasm으로<br>다시 위로 넘기는 과정이 반복됨 |
| • 하지만 위에서 산은 **Pylorospasm**을 일으키고,<br>이로 인해 distal antrum에 파괴적인 화학물질이 축적되어<br>24-48시간내에 전벽의 괴사 및 천공을 유발하는<br>심한 위염이 발생한다. | • 이러한 식도와 위의 시소타기(seesaw motion)로<br>**위, 식도 모두 손상**을 받는다. |
| • 치료 :<br>Emergency cervical esophagostomy,<br>Esophagogastrectomy & even Duodenectomy<br>(보통 B-I STG 시행) | |

## 2. 진단

① **표재성 손상**이라면 점막의 재상피화가 6주 가량 걸리지만, **전충손상** 시는 **수 개월** 걸린다.

② Parabronchial Substernal & Back discomfort 혹은 복통 및 Rigidity
  → Mediastinal 혹은 Peritoneal perforation을 의미한다.

③ **식도경 검사**는 수상 후 **12-24시간내에** 시행해야 한다. 조기식도경의 **금기증**은 **식도, 위천공** 및 임박한 **기도폐쇄**
가 의심될 경우이다.

## 3. 치료

① Corticosteroid는 **금기**이다. 하지만, **dyspnea, hoarseness, stridor** 등이 있을 때 항생제와 함께 투여하면 점막
부종 및 bronchospasm으로 인한 **기도폐쇄를 호전**시킬 수 있다.

② 수술적 치료는 손상받은 식도 및 위를 함께 제거하는 것이다(B-I STG). 심한 손상의 경우 식도재건술을
시행할 수 있다.

(그림) 식도의 부식성 손상의 치료 (급성기)

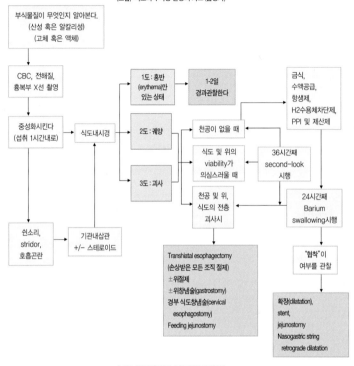

(그림) 식도의 부식성 손상의 치료 (만성기)

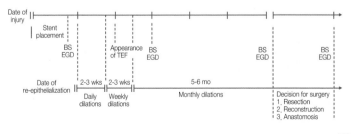

## ■식도의 운동성 질환들

- Hypomotility (Achalasia)

  Hypermotility (Diffuse esophageal spasm (DES))

### 이완불능증 (ACHALASIA)

- failure or lack of relaxation

  middle age,  M=F

#### 1. 원인 : 정확히 모른다. 하지만...

- 심한스트레스, 외상, 체중감소 및 Chagas' s disease 연관

  기생충감염 (Trypanosoma cruzi)

  → Auerbach myenteric plexus의 smooth m, ganglion cells의 파괴

※ **암전구 병변** (20년 동안 8%까지 암이 발생 가능)

  → 암은 주로 "**30대 중반**"에 잘 발생함

#### 2. 증상

- classic triad : **삼킴곤란 (Dysphagia), 음식물 역류, 체중감소**

  └── 처음엔 Liquid에 대해, 나중엔 Solid food에 대해 dysphagia (cancer와 반대임)

- sticking sensation at the level of Xyphoid

#### 3. 진단 【16】

: CXR, 식도 조영술, Mamometry, 식도경 :

  - 삼키기 후의 LES 반사적인 이완의 장애
  - 식도전체에 걸친 progressive peristalsis가 없을 때 (즉, LES tone 자체는 정상이거나 상승되어 있다)

#### 4. 치료 【17】【14】

① purely palliative

② 확실한 치료

- LES 영역내의 평활근의 circular layer를 파괴해야 한다.

- 방법

  a. Pneumatic 혹은 Hydrostatic으로 강제적으로 확장시킴 (65% 성공)

  b. Esophagomyotomy (85% 성공)

# ■식도 천공

- true emergency
- 가장 흔한 손상 부위 : CRICOPHARYNGEUS (내시경 도중) ★

## 1. 원인들

① Iatrogenic (60%) : 가장 흔한 내시경 도중 m/c

② 자발성 천공 (15%) : 구토 후

   ex) Boerhaave' s syndrome : 가장흔한 자발성 천공 → straining에 의한 식도의 왼쪽 뒷쪽 부위 천공

③ 외상후 (20%)

- m/c injured area : CRICOPHARYNGEUS (during endoscopy) ★

## 2. 임상양상

| Symptoms | Signs |
|---|---|
| 구토 | 빈맥, 발열 |
| 통증 (epigastric, chest, neck, throat) | Crepitus on the chest, neck, or face |
| 토혈 | Subcutaneous emphysema |
| 연하장애 (Dysphagia) | Chest hypersonarity or dullness |
| 호흡곤란 (Dyspnea) | Cardiac crunch |

## 3. 진단

① 단순 흉부 X-ray → 90%에서 진단에 도움. Pneumomediastinum 소견가능

② 식도 조형검사 → false negative 10%

③ CT : mediastinal fluid & air

④ 식도경 검사는 하지 않는다. ← 병변을 놓치기 쉽고, 구멍을 크게 만든다.

## 4. 치료

(그림) Esophageal perforation에 대한 Management

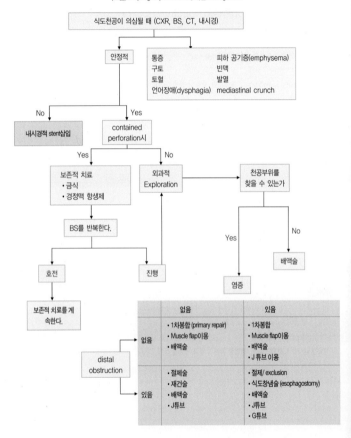

| | 없음 | 있음 |
|---|---|---|
| 없음 | • 1차봉합 (primary repair)<br>• Muscle flap이용<br>• 배액술 | • 1차봉합<br>• Muscle flap이용<br>• 배액술<br>• J튜브 이용 |
| 있음 | • 절제술<br>• 재건술<br>• 배액술<br>• J튜브 | • 절제/ exclusion<br>• 식도창냄술 (esophagostomy)<br>• 배액술<br>• J튜브<br>• G튜브 |

 추가노트

BS: Barium swallowing

112

※ 식도 천공 치료에 영향을 주는 3가지 인자 : 발생원인, 발생부위 & 천공에서 치료까지의 시간

① **발생원인**
- **구토 후 천공**이 가장 심각하다 (Iatrogenic보다 더).

② **발생부위**
- **"흉곽 부위"**로 내려갈수록 사망률 증가함.
- 즉, Cervical이 85%, Thoracic은 65-75%, Abdominal esophagus 90% 생존

③ **천공에서 치료까지의 시간 : 수술결과에 가장 중요한 요소!**

■**식도암**
• 식도암은 **국소침윤, 림프절 전이 및 원발전이** (→ 폐, 간)가 광범위하여 예후가 매우 좋지 않다.

## 1. 종류

① Squamous cell Ca (95%)
• 흡연 (5배 증가), 음주 (5배 증가), M/F = 4-6/1
• 주로 **"THORACIC"** esophagus (middle 1/3 : 60%, lower 1/3 : 30%)
• 유형 :
  a. Fungating, Ulcerating, Infiltrating → 5년 생존율 < 15%
  b. Polypoid → 5년 생존율 70% (예후 제일 좋다)
• 악성도가 높은데, 치료받은 종양의 경우 5YSR가 5-12%, 진단 시 70%의 환자가 이미 **식도 밖으로 종양이 퍼져있으며**, 림프절 전이가 있으면 5YSR가 3%, 림프절 전이가 없으면 5YSR가 42%에 해당한다.

② AdenoCa
• 역류, **"Barrett's esophagus"** (30-40배), **식이인자** (지방)와 연관된다.
  a. 식도 아래쪽의 손상받은 squamous cell
     → metaplasia에 의해 Columnar cell로 대치되어 발생함.
  b. severe dysplasia → CIS (in situ) → **절제의 적응증!**
     (이 경우 식도절제술을 시행하면 **절반**에서 AdenoCa 발견됨)
  c. Barrett's esophagus진단 시 AdenoCa가 동반된 경우가 8%

━━━━▶ 추가노트 ..........

☞ 최근 식도암 중 adenoCa가 증가하는 이유
  1) GERD (gastroesophageal refluex disease) 증가
  2) 서구화된 식사 (지방식이 증가)
  3) 위산분비억제제의 사용 증가

- 주로 "LOWER" third (EG junction 주위)
- 5년 생존율 0-7%
- 예후 인자
  a. **종양 크기**와 예후와 관련이 있어서 5cm 이상인 경우 전이가 75%
  b. **림프절 전이**시 예후가 급격히 떨어진다.

## 2. 진단 【16】

① 증상 : insidious → <u>삼킴곤란 (Dysphagia) & 체중감소</u>
                └ 내강의 2/3가 막혀야 증상이 나타남.

**(표) Esophageal Cancer의 증상**

| 증상 | 빈도 (%) |
|------|---------|
| • **삼킴곤란 (Dysphagia)** | **87-95** |
| • **체중감소** | **42-71** |
| • 구토 및 역류 | 29-45 |
| • 통증 | 20-46 |
| • 기침 혹은 쉰목소리 | 7-26 |
| • 호흡곤란 | 5 |

② **각종검사** : 식도 내시경 (→ 조직생검), 식도 조영검사, CT, EUS

## 3. 병기

- Endoscopic biopsy : 식도암의 진단을 위해 꼭 필요
- 기관지경 검사 : upper & middle third esophagus의 암일 때 필요

## 4. 치료

(그림) 식도암의 치료

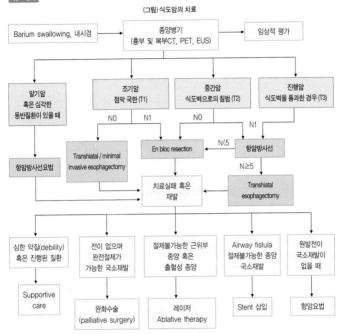

① Transthoracic Esophagectomy : 완전한 림프절절제가 가능하지만 사망률이 높다.

(그림) Transthoracic esphagectomy 후 stomach으로 재건한 소견

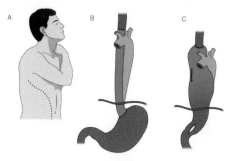

A      B      C

※ 식도 재건이 필요할 경우 위 > 결장 > 공장 순으로 이용된다.

② Transhiatal Esophagectomy (without thoracotomy) : 합병증, 사망률이 낮지만, 흉곽내 림프절 절제가 제한적이다.

(그림) Transhiatal esophagectomy 수술 소견

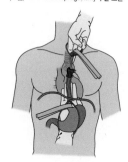

cf) Palliative하게

　　Dilatation, Stenting, Photodynamic Tx, 방사선 치료, Laser & Surgical palliation 시행할 수 있다.

## ■ Barrett's esophagus

(그림) Barrett's esophagitis 치료의 Algorithm

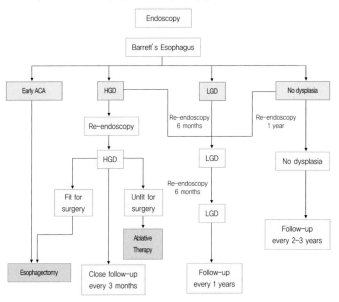

ACA : Adenocarcinoma
HGD : High-grade dysplasia
LGD : Low-grade dysplasia

# 09 열공 헤르니아 및 위식도역류성 질환
*Hiatal Hernia and Gastroesophageal Reflux Disease*

## 위식도 역류성 질환

### ■ 병태 생리

• Gastroesophageal reflux(GER)는 위 내의 압력이 식도 하부에 있는 HPZ(high pressure zone)보다 더 클때 일어난다. 아래와 같은 조건에서 이런일이 가능하다.

  1) LES(lower esophageal sphincter)의 pressure가 너무 낮을 경우
  2) 식도의 연동수축(peristaltic contraction)없이 자발적으로 LES가 열리는 경우

• GE reflux는 **열공 헤르니아** (hiatal hernia)와 연관이 된다.

| ① 1형 | • Sliding Hernia (m/c)<br>• GE junction이 Phrenoesophageal Lig.에 의해<br>  복강내에 위치하지 않음 |
| ② 2형 | • Rolling or Paraesophageal Hernia<br>• Gastric fundus가 hiatal defect를 통해 mediastinum으로 이동한 것 |
| ③ 3형 | • 1형 + 2형 |
| ④ 4형 | • any visceral structure(e.g., colon, spleen, pancreas, small bowel)이 hiatus 위로 이동한 것 |

**열공 헤르니아를 지닌 많은 환자들이 증상을 지니지 않고,** 치료를 필요로 하지 않을 수 있다.

(그림) Hiatal Hernia의 3 types

A.Sliding hernia (Type1) B, Rolling hernia (Type2), C, Mixed hernia

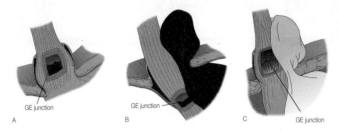

A      B      C

GE junction (A), GE junction (B), GE junction (C)

## ■ 증상

- 가장 흔한 증상 : "**가슴쓰림 (Heartburn)**" (등으로의 방사통은 없다)
- Regurgitation의 존재는 병이 진행함을 암시한다.
- **삼킴곤란 (dyspagia)**은 보통 기계적 폐색을 시사하고, 유동식보다 **고형식을 먹을 때** 두드러진다.

(표) GERD환자들의 흔한 증상들

| 증상 | 빈도 (%) |
|---|---|
| • 가슴쓰림 (Heartburn) | 80 |
| • 역류 | 54 |
| • 복통 | 29 |
| • 기침 | 27 |
| • 고형식에 대한 삼킴 곤란 | 23 |
| • Hoarseness | 21 |
| • Belchhing | 15 |
| • Bloating | 15 |
| • Aspiration | 14 |
| • Wheezing | 7 |
| • Globus | 4 |

## ■ 수술전 검사 (Preoperative Diagnostic Testing) [14]

### 1. 24시간 pH Monitoring : Gold Standard!

### 2. Esophageal Manometry

- 정상 LES (low esophageal sphincter) ; 압력 12-30 mmHg, > 80%의 Peristalsis을 지닌다.
- peristalsis가 60% 미만이거나 LES가 30mmHg 미만인 경우 360-degree fundoplication하면 obstruction 생기므로 "Partial fundoplication" 이 더 적합.

### 3. 내시경

- 다른 병 감별 및 Peptic esophageal injury 정도를 알아 봄.

### 4. 식도 조영 검사(Barium Esophagogram)

## ■ 치료

### 1. 내과적 치료

① Lifestyle modifications : 담배 끊고, Caffeine 줄이고, 자기 전 많이 먹지 말자!

② 전형적인 증상이 있는 환자의 경우 PPI를 8주간 사용한다. PPI를 처방하기 전에 악성종양등 다른 원인에 대한 감별이 필요하다.

   **그럼에도 불구하고 증상이 계속되면 검사를 시행하자.**

③ 약제

- Choice : "PPIs (Proton pump inhibitors)"
- 제산제, 장운동성약제, H2 Blocker

### 2. 외과적 치료 [13]

- 적응증

| |
|---|
| a. 심한 식도손상의 증거가 있을 경우 (궤양, 협착, Barrett's mucosa) |
| b. 약물요법에 잘 반응하지 않거나, 재발한 경우 |
| c. 증상이 오래 지속되거나 젊은 나이에 증상이 지속될 때 |

① 360-Degree Wrap

(Left Crus Approach = Nissen fundoplication)

• 정상적인 식도운동성일 때 시행

(그림) 360-Degree Wrap

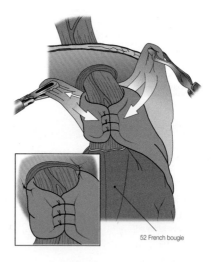

52 French bougie

② Partial Fundoplication

• **적응증** : 식도운동성이 좋지 않을 때 ★ (peristalsis < 60% 혹은 **LES** < 30mmHg)

• **방법들** : Ant. vs Post. wrap

(그림) 3가지 형태의 Fundoplications

A: 360-degree wrap, B: Partial Anterior Fundoplication, C: Partial Posterior Fundoplication

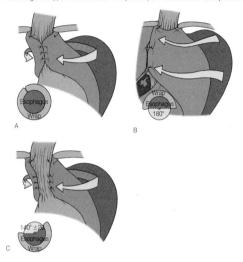

## ■ 합병증

• 3~10%

(표) Laparoscopic Antireflux procedures 후의 합병증

| 합병증 | n (%) |
|---|---|
| • 술후 장마비 | 28 (7) |
| • 기흉 | 13 (3) |
| • 배뇨장애 | 9 (2) |
| • 삼킴곤란 (Dysphagia) | 9 (2) |
| • Other minor | 8 (2) |
| • Liver trauma | 2 (0.5) |
| • Acute herniation | 1 (0.25) |
| • Perforated viscus | 1 (0.25) |
| • Death | 1 (2.5) |
| Total | 72 (17.25) |

① 수술시 합병증 : 기흉 (m/c), 위, 식도, 간, 비장 손상

② 수술후 합병증 : Bloating (위확장), Dysphagia

## 식도주위 헤르니아(Paraesophageal hernia)

### 1. 특징

• Esophageal hiatus를 통해 탈장되는 구조물 : fundus (m/c) 〉〉 비장, 결장, 대망...

• 증상 : Gastroesophageal obstructive symptom(e.g., dysphagia, odynophagia, early satiety)

• 진단 : 식도 조영술 (가장 중요), 내시경, pH test

### 2. 치료

• 수술은 GE reflux procedures 동일함. 탈장낭은 절제분리해야 한다.

• 수술 후 90~100%에서 증상 호전

# 복벽

*Abdominal Wall*

 복벽

■ 해부

(그림) Anterolateral Abdominal Wall의 구조

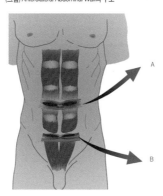

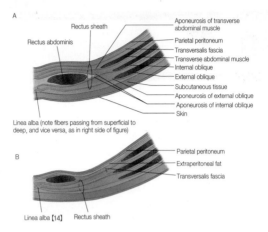

A

Rectus sheath

Rectus abdominis

Aponeurosis of transverse
abdominal muscle
Parietal peritoneum
Transversalis fascia
Transverse abdominal muscle
Internal oblique
External oblique
Subcutaneous tissue
Aponeurosis of external oblique
Aponeurosis of internal oblique
Skin

Linea alba (note fibers passing from superficial to
deep, and vice versa, as in right side of figure)

B

Parietal peritoneum
Extraperitoneal fat
Transversalis fascia

Linea alba [14]    Rectus sheath

---

### 1. Rectus Abdominis m.의 위쪽 3/4

→ Int. Oblique 건막 (aponeurosis)이 rectus sheath 옆모서리에서 두 개로 갈라져 한쪽은 rectus abdominis
**앞쪽**으로 다른 한쪽은 **뒤쪽**으로 주행

 a. 앞면 : Ext. Oblique + Int. Oblique의 윗층

 b. 뒷면 : Int. Oblique의 아랫층 + Trans. abdominis

---

### 2. Rectus Abdominis m.의 아래쪽 1/4의 경우

→ Int. oblique 및 Transverse abdominis가 모두 rectus abdominis **"앞쪽"** 으로 주행하므로 뒷면이 존재하지
않는다.

---

※ 이 위와 아래의 경계를 Arcuate line이라 하며, 보통 배꼽과 pubic crest를 잇는 선에서 1/3 지점에 해당한다.
 즉, rectus sheath 뒤쪽은, 이 arcuate line**위쪽**엔 **aponeurotic post. wall**이 있으며 **아래쪽**엔
 **transversalis fascia**가 존재한다.

• 복벽의 구성 ★ 【13】【15】

① 피부
② 피하 지방층
③ Scarpa fascia
④ 배바깥빗근 (Ext. Oblique) : inguinal lig.와 상동
⑤ 배안빗근 (Int. Oblique) : Cremasteric m.와 상동
⑥ 배가로근 (Transversus)
  cf) Int. Oblique + Transversus = conjoint tendon 형성
⑦ Transversalis fascia
  ※ Transveralis fascia가 intact하면 incisional hernia가 일어나지 않는다.
⑧ 복막외 지방조직
⑨ Parietal peritoenum

# 선천성 기형

## ■ Omphalomesenteric Duct Remmant 【16】

• 태아에서 "omphalomesenteric duct"가 fetal midgut과 yolk sac을 연결한다.

(그림) omphalomesenteric duct가 지속적으로 존재함으로 인한 결과들

A. Omphalomesenteric duct cyst.
B. Persistent omphalomesenteric duct with an enterocutaneous fistula.
C. Omphalomesenteric duct cyst and sinus.
D. Fibrous cord between the small intestine and the posterior surface of the umbilicus.
E. Meckel's diverticulum.

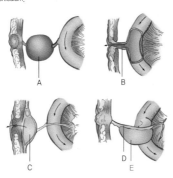

① Omphalomesenteric duct cyst.

② 장피부누공을 지니는 지속적인 Omphalomesenteric duct.

　• enteric content가 umbilicus를 통해 나올 때 알 수 있다.

③ Omphalomesenteric duct cyst and sinus.

④ Meckel's diverticulum

　• Omphalomesenteric duct의 intestinal end가 지속적으로 존재할 때 발생

　• True diverticulum임. **장염전** 및 **장중첩증**을 유발할 수 있다. ★

## ■ 요막관 기흉 (Urachal Anomalies)

• 요막관 (Urachus)은 **방광**과 **배꼽**을 연결하는 태아 구조물이다.

(그림) Urachal Anomalies

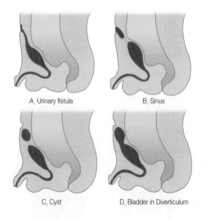

A. Urinary fistula　　　　　B. Sinus

C. Cyst　　　　　D. Bladder in Diverticulum

① VesicoUmbilical Fistula : 배꼽에서 소변이 나올 경우

② Urachal sinus

③ Urachus의 Cystic remnant

④ 방광게실 (Diverticula of Urinary Bladder)

## ■ 복막 감염

### • 괴사 근막염 (Nercrotizing fascitis)

① 노인에서 많이 발생

Urinary extravasation 혹은 Perirectal abscess와 연관됨.

② 피부, 피하지방, 근육 및 근막 괴사로 치명적인 감염이다.

③ 치료 : Wide debridement + 항생제 치료

# 후천성 복막 질환

## ■ Rectus Sheath Hematoma ★

• F > M, 모든 연령에서

• 여성에서 m/c 원인은 임신, 젊은 남성에선 외상 혹은 격렬한 근육운동 후 노인에선 항응고제 복용 후 발생함

### 1. 특징

① 원인

    a. 복부 천자 (Parecentesis) 및 주입 (injection)

    b. 재채기 혹은 기침시의 rectus m.의 수축

    c. 자발성

② semilunar line 위쪽의 hematoma는, rectus sheath에 의해 제한되지만, semilunar line 아래쪽의 경우는, rectus sheath후벽이 transversalis fascia에 의해서만 싸여 있어서 팽창될 수 있다.

③ 증상

    복통 (m/c), N/V, 혈종 위로 압통, 통증이 있는 종괴

### 2. 치료

① 비수술적으로 치료하라 - Bed rest, 진통제

② 수술은 혈종이 진행시

    → 하복부에서 inf. epigastric vessels 손상시 출혈 부위 위아래를 ligation해야 한다.

## ■ 복벽의 종양

### ■ 데스모이드 종양 (Desmoid Tumor)

- 전이를 잘 하지 않으나 빠르고 침습적으로 자라며 재발도 잘한다.
- 100만명당 2.4-4.3명. FAP환자에서 1,000배 많이 발생
- M<F (4-4.5배) 젊은 출산연령의 여성에서 많다.
- 종양에 estrogen receptor가 발견된 점 및 경구피임제와 질병이 연관된 점을 통해, Estrogen이 질병과 연관됨을 알 수 있다.
- 위치에 따른 분류 : 복강 밖, 복벽 및 복강내 종양으로 나눈다.
  cf) mesenteric desmoid는 복강내 종양으로 FAP 환자에서 많이 나타난다.

### 1. 특징

① 증상 및 진단

a. 통증없이 증가하는 종괴

b. MRI

T1에선 hemorrhageous & isointense to muscle

T2에선 greater heterogenicity, fat보다 약간 intensity 떨어짐

c. Incisional Bx or Core needle Bx

→ 종괴의 중심부는 세포가 없지만 주변부에 diffuse cellularity 보임

② 조직 소견

- 피막에 둘러 싸이지 않으며 조직학적으론 양성이지만, 국소침윤 및 재발양상을 지니기 때문에 임상적으론 악성이다 (LN전이는 하지 않는다).

### 2. 치료

① 수술 : "tumor free margin을 확보한 완전절제" (TOC)

※ 다발성 국소재발은 많지만, 전신전이는 드물다.

② 방사선 치료 : 방사선 치료에 반응이 좋은편으로 수술이 불가능한 환자에서 사용가능

또는 adjuvant therapy로 사용할 수 있다.

③ 약물 치료

- 수술이 불가능한 경우 사용
- 세포독성이 없는 약 : NSAIDs & Antiestrogen
- 세포독성 물질 : 항암요법

## ■ 전신질환의 복부발현

① Sister Mary Joseph node, Virchow node : 복강내 종양에서 나타난다.

② Grey Turner sign : 출혈성 췌장염, AAA, 후복막 출혈

③ Caput medusa : Portal HBP에서 배꼽주변에서의 확장된 정맥들이 보인다.

④ Spider angioma : 만성간질환에서

## 복막 (Peritoneum)

### ■ 해부

- 면적 : 1.8m²(1.1~1.7)

- 정상적으로 peritoneum 내에는 100ml의 clear straw colored fluid 존재

(그림) Peritoneal ligaments & Mesenteric reflections

이러한 attachments가 복강내를 9개의 구역으로 나눈다. :
Rt & Lt subphrenic, Subhepatic, Supramesenteric,
Inframesenteric Rt & Lt paracolic, Pelvis & Omental bursa

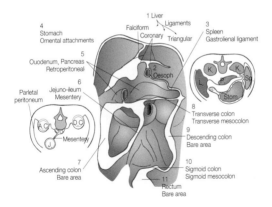

131

## ■ Intraperitoneal Fluid Collection

### 1. 복수 (ascites)

- 정상적으론 복강내에 수액 분비와 흡수 사이에 균형이 있다.
  이러한 균형이 깨졌을 경우 ascites가 발생한다.

### 2. 유미 (chyle)

① 원인 :

**림프 구조물의 손상** 및 **종양의 림프구조물 침윤**, 복부수술, 간경화 등
　　　　└ 림프종이 대표적이며 림프 흐름을 차단하여 유미를 발생시킨다.

※ Chyle은 bacteriostatic properties하여 감염이 잘 생기지 않는다.

② 진단 :

　a. SAAG ≤ 1.1mg/dl, 복강내 triglycerides 〉〉 혈청내 TG

　b. 영상검사 : CT, lymphoscintigraphy, lymphangiography

③ 치료 :

　a. 저지방 식이, medium-chain triglyceride diet + 이뇨제

　b. 복수천자 (일시적인 호전만)

　c. 수술하여 유추되는 림프 channels을 찾아 직접 결찰할 수도 있다.

### 3. 담즙 (bile)

- 감염시 **심한 복막염**을 일으킨다. 보통 담도 수술 후 발생한다.

### 4. 혈액 (blood)

- 혈복강의 가장 흔한 원인은 간 혹은 비장의 외상이다.
- 혈복강시 출혈의 2/3은 혈액내로 재흡수된다.
  하지만 수술 후 혈액을 복강에 남기면 감염의 위험이 있다.

### 5. 소변 (urine)

### 6. 공기 (air)

- 개복 4-5일 후 복강내 공기는 소실됨.

## ■ 복수 검사 [13] [16]

• 복수천자 (paracentesis)가 가장 효과적인 검사이다.

복부에 LLQ에서 시행하며 **진행성의 DIC 및 fibrinolysis**는 금기증에 해당된다.

① neutrophil $\geq$ 5,000/mm³시 cloudy하며, 1,000/ mm³ 이하시 clear하다.

② 복수 천자시 **혈액 성분**이 나올 때의 판단

• 보통 traumatic tap이 원인이며, 복수내에 혈액이 있는 경우는, 응고인자를 이미 소비했으므로 clot을 형성하지 않는다.

(즉, traumatic tap에서는 금방 clotting이 일어남)

③ 합병증 없는 간경화는, leukocyte $\leq$ 500/mm³이며, 이 중 절반 정도가 neutrophil이다.

SBP 시 neutrophil $\geq$ 250/mm³로 증가한다.

④ SAAG (serum-ascites albumin gradient)는, 혈청 알부민치에서 복수내의 알부민 수치를 뺀 값으로, $\geq$ 1.1g/dL 이상시 문맥압 고혈압이 있음을,

($\geq$ 1.1g/dL 이하시 portal hypertension이 없음을 의미한다)

(표) Classification of Ascites by SAAG

| High Gradient ($\geq$ 1.1 g/dL) | Low Gradient ($<$1.1 g/dL) |
|---|---|
| • 간경화 | • Peritoneal carcinomatosis |
| • 알콜성 간염 | • Tuberculous peritonitis |
| • 심장원인의 복수 | • Pancreatic ascites |
| • 광범위한 간전이 | • Biliary ascites |
| • 전격성 간부전 | • Nephrotic syndrome |
| • Budd-Chiari 증후군 | • 유미성 복수 |
| • 간문맥 혈전증 | • Serositis in connective tissue diseases |
| • Myxedema | |

# ■ 복막염 (Peritonitis)

■ Spontaneous Bacterial Peritonitis

### 1. 정의

- 복강내의, 외과적으로 치료가능한 감염원 없는 복수의 세균 감염
- 보통 **간경화**와 연관되나, nephritic syndrome, CHF와도 연관될 수 있다.

### 2. 원인

- **원인균** (m/c) : aerobic enteric flora E. coli & Klebsiella pneumoniae
- **위장관**으로부터의 bacterial translocation으로 추정된다.

### 3. 진단

- 복통, 발열, 백혈구 증가증의 임상양상을 지닌 low-protein ascites 환자에서, 복수액 ≥ 250 neutrophil/mm³
  cf) gram stain에서 균이 검출되는 경우는 드물다.

### 4. 치료

- 3세대 Cephalosporin (광범위 항생제)

## ■ 결핵성 복막염 (Tuberculous Peritonitis) [15] [16]

### 1. 원인

• 주로 일차 폐질환이 혈행성으로 퍼져 복막내에 잠복돼있다가 재활성화된 경우가 대부분이다.

→ 1/3 환자에서 급성 폐질환과 연관되며

1/2 환자에서 비정상적인 CXR 소견을 지닌다.

### 2. 진단

① 복강경적 생검 → Caseous granuloma 확인 (90%)

② asicitic ADA (Adenosine deaminase) 상승 확인도 진단에 도움을 준다.

③ PCR을 통해 균을 확인해 볼 수도 있다.

### 3. 치료

• 항결핵약제 : 9개월간 Isoniazid & Rifampin

## ■■ 복막의 악성 종양

## ■ 복막 가성점액종 (Pseudomyxoma Peritonei)

• 50-70세 여성에서 많다.

### 1. 정의

• 파열된 난소암 혹은 충수 돌기암에서 기시한, 복강의 악성질환으로, 점액을 분비하는 점액 분비 종양 세포로 복막이 덮어 있다.

### 2. 치료

① 수술

• 점액 및 복강내액을 배액하고, 복강절제술 (peritonectomy) & 대망절제술 (omentectomy)을 포함하여, 일차 이차 종양병소를 cytoreduction한다.(가능한 병소를 많이 제거하는 방법)

 ▶ 추가노트

cf) 보통은 repeat paracentesis는 필요하지 않으며, 임상양상이 비전형적일 때 시행할 수 있다.
이때 multiple bacterial isolates시 secondary peritonitis를 시사한다.

② 수술후 보조 요법 : intraperitoneal heated chemotherapy (IPHC)

   : intraperitoneal 5-FU, mitomycinC & CIsplatin or intraperitoneal mycolytics (dextran sulfate & urokinase)

   ※ 절반 정도에서 재발하지만, 병의 진행이 느리기 때문에 aggressive approach시 10YRS를 80%까지 올렸다는 보고가 있다.

## ■■ 장간막 (mesentery) & 그물막 (omentum)

■ 발생

**(그림) 위장관의 발생 및 mesentery와의 연관성**

SMA전의 위장관형성 부위를 prearterial limb SMA 후를 postarterial limb라고 한다.

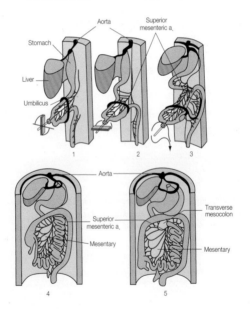

## ■ Omental & Mesenteric cyst

### 1. 그물막 낭종 (Omental cyst)

① mesenteric cyst보다 훨씬 빈도가 낮으며, omental lymphatic channels의 폐색 때문에 발생한다.

② omental torsion, infection or rupture 등의 합병증이 발생할 수 있고 이는 소아에서 더 흔하다.

③ **진단 및 치료** : Ultrasound, CT 등으로 진단할 수 있고, 치료는 국소 절제술이다.

### 2. 장간막 낭종 (Mesenteric cyst)

① 보통 내부에 chyle 혹은 clear serous fluid를 지닌다.

② 45세 가량의 성인에서 발생하며, F 〉 M (2배)

③ **치료** : 개복하여 enucleation시행 (크기가 크면 복강내로 internal drainage할 수도 있다)

## ■ Intra-abdominal (Internal) Hernia

### ※ 결장막 헤르니아 Mesocolic (Paraduodenal) Hernia

• 소장이 mesocolon뒤로 탈장되는 흔치 않은 선천성 탈장이다. 이는 midgut의 비정상적인 회전에 기인한다.

• **증상 & 진단**

증상은 intestinal obstruction 소견으로 나타나고, 진단은 CT 및 barium 검사를 통해, 소장이 좌 혹은 우측으로 displacement된 것을 확인하면 된다.

### 1. Rt. Mesocolic hernia

① **양상** : prearterial limb이 SMA를 중심으로 회전하지 못해서 발생함.

→ 대부분의 소장이 SMA의 오른쪽의 mesocolon뒤에 위치하게 됨.

② **치료** : 우측 결장의 lat. peritoneal reflection을 따라 절개선을 가해 reduction한다.

(그림) Rt mesocolic hernia의 진단과 치료

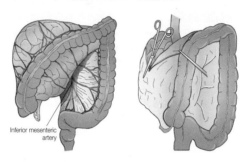

Inferior mesenteric artery

## 2. Lt. Mesocolic Hernia

① 양상

: 소장이 IMV와 descending mesocolon이 후복벽에 붙은 post. parietal attachments 사이로 탈장된 것.
 (IMA, IMV가 탈장낭에 포함된다)

② 치료

: inf. mesenteric vessels의 오른쪽을 따라 절개선을 내어 reduction한다.

(그림) Lt mesocolic hernia의 진단과 치료

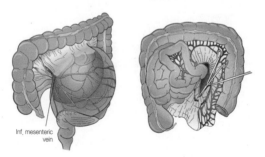

Inf. mesenteric vein

# Power

# 11

## 탈장
*Hernias*

★★★☆☆

• Hernia 정의 : 복부의 musculoaponeurotic covering을 통한 peritoneal-lined sac의 abnormal protrusion

 해부

(그림) Preperitoneal inguinal anatomy (즉 복강내에서 복벽을 바라본 그림)

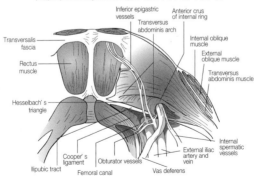

• Hesselbach triangle ★

> a. 안쪽 경계 : Rectus sheath
> b. 아랫쪽 경계 : Inguinal ligament
> c. 위 가쪽 경계 : Inf. Epigastric vessels

→ 이 Hesselbach triangle내에서 발생하는 탈장 → <u>Direct Hernia</u>
　　이 triangle의 lateral에서 발생하는 탈장 → <u>Indirect Hernia</u>

### (그림) 탈장의 위치

1. Indirect inguinal herinia, 2. direct inguinal hernia, 3. femoral hernia

## ■ 중요한 해부학적 구조물

### 1. 뱃속 빗근 (Internal Oblique Muscle)

• 이 Internal oblique aponeurosis의 안쪽은 Transversus abdominis aponeurosis의 섬유와 Pubic tubercle 부위에서 결합하여 Conjoined Tendon ★을 형성한다. (5-10% 정도에서)

> Int. Oblique + Transversus abdominis aponeurosis → Conjoined tendon

 ▶ 추가노트

cf) Direct inguinal hernia는 transversalis fascia가 약해서 발생한다. ★

## 2. Iliopubic Tract

① 위치관계

- Inguinal ligament의 **뒤편**에 위치하게 된다.
- Femoral vessels **위에** 위치하게 되어, femoral sheath의 한 부분을 이룸.
- Int. (deep) inguinal ring의 **아래쪽 경계**에 위치함.

② 임상적 의의

- Femoral hernia의 교정 및 Inguinal hernia의 Preperitoneal repair에서 극히 중요하다.

## 3. Cooper's Ligament

- Laparoscopic herinia 및 McVay's repair에서 중요한 고정 부위!!

### (그림) 우측 서혜부에서의 preperitoneal structures

그림의 오리엔테이션에 주의하자. 등쪽, peritoneum 안쪽에서부터 복벽 뒷쪽면을 바라본 그림이다.
IEV, inferiorr epigastric vessels; IPT, iliopubic tract; VD, vas deferens; GV, gonadal vessels;
EIV, external iliac vessels

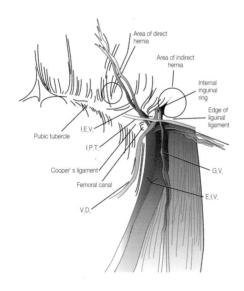

(그림) 우측 서혜부에서의 중요한 신경의 주행

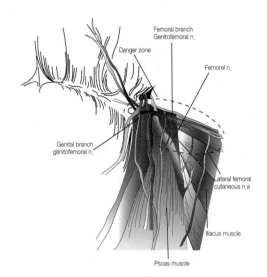

Danger zone

Femoral branch
Genitofemoral n.

Femoral n.

Genital branch
genitofemoral n.

Lateral femoral
cutaneous n.a

Iliacus muscle

Psoas muscle

## ■ 탈장수술 시 손상받기 쉬운 장기 ★

### 1. 신경

① Ilioinguinal & Iliohypogastric Nerve :

   • 하복부 및 회음부의 감각신경

② Genitofemoral Nerve

   • L2 (or L1 or L3)에서 기원

   • Psoas m. 앞쪽으로 지나가서 Genital & Femoral br.로 나뉜다.

   • 각각의 분지 중,

   a. Genital br.는 deep ring을 통해 inguinal ring으로 들어가며
      └─ 손상시 음낭의 통증, 감각이상 및 마비증상이 나타남 ★

   b. Femoral br.는 Femoral a. 옆쪽으로하여 Femoral sheath로 들어간다.

(그림) inguinal region에 주요 신경의 주행

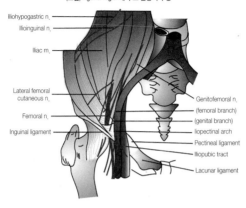

Iliohypogastric n.
Ilioinguinal n.
Iliac m.
Lateral femoral cutaneous n.
Femoral n.
Inguinal ligament

Genitofemoral n.
(femoral branch)
(genital branch)
Iliopectinal arch
Pectineal ligament
Iliopubic tract
Lacunar ligament

(그림) inguinal region의 주요 신경이 지배하는 감각 영역

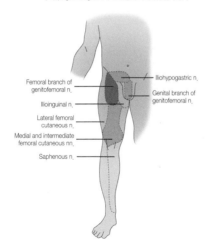

Femoral branch of genitofemoral n.
Ilioinguinal n.
Lateral femoral cutaneous n.
Medial and intermediate femoral cutaneous nn.
Saphenous n.

Iliohypogastric n.
Genital branch of genitofemoral n.

## 2. 정관 (Ductus deferens)

- 아래 → 윗쪽으로, 안 → 바깥쪽으로 Preperitoneal space를 지나서 deep inguinal ring으로 들어간다.

## 3. 기타

- Femoral vein, 탈장낭내 구조물 (intestine...), 방광 등

 **탈장의 진단** [13] [16] [17]

## 1. 임상양상

- 서혜부의 종괴시

※ Incarceration이나 intestinal vascular comprise가 없는 상태에서 통증은 크지 않기 때문에 심한 통증을 호소할 때 다른 질환의 가능성도 고려해야 한다.

**(표) 서혜부종괴로 나타날 수 있는 질환들**

---

- **Inguinal hernia**
- **Hydrocele**
- Inguinal adenitis
- Varicocele
- Ectopic testes
- Lipoma
- Hematoma
- Sebaceous cyst
- Hidradenitis of inguinal apocrine glands
- Psoas abscess
- Lymphoma
- Metastatic neoplasm
- **Epididymitis**
- **Testicular torsion**
- **Femoral hernia**
- Femoral adenitis
- Femoral aneurysm or pseudoaneurysm

---

### 2. P/Ex

• Incarcerated hernia는 대부분 도수 정복 (manual reduction)이 가능하다.

**부드럽게 한 손으로 hernial neck을 잡아, hernial neck을 늘린 상태에서 반대손으로 incarcerated contents를 밀어 넣는다.**

이때 supine head-lowered position (Trendelenburg)이 도움이 된다.

종괴에 압통이 있고, 누를 때 통증이 동반된 경우는 **적절한 진통제**를 사용한 뒤 다시 누른다.

▶ Gangrenous bowel은 이렇게 누를 경우 잘 들어가지 않는다. **이렇게 Manual reduction이 되지 않을 때 Urgent operation을 시행한다.**

▶ strangulation이 의심되는 경우 도수정복 하지 않고 응급개복술 한다.

**(그림) 탈장의 도수 정복**

A와 같이 단순하게 압력을 가하지 말고 B와 같이 한 손으로 탈장 목을 잡은 상태에서 부드럽게 탈장낭을 밀어 넣어야 된다.

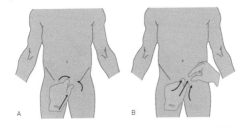

즉, 도수정복되면 2~3일 후에 elective op, 되지 않으면, Urgent op 시행★

• 75%의 탈장은 inguinal region에서 발생한다.

50%는 indirect inguinal hernia이며, 24%는 direct inguinal herina이다. (Indirect 〉〉Direct )

Incisional & Ventral herina는 10%이며 Femoral hernia는 3%에 해당된다.

• 남성 여성 모두에서 가장 많은 Hernia는 "Indirect inguinal hernia" 이다. ★

Femoral hernia는 남성보다 **여성**에서 많다. femoral hernia는 감염될 위험이 높다.

25%의 남성과 단지 2%의 여성만이 일생동안 inguinal hernia를 지니게 된다.

또 Inguinal herina는 왼쪽보다 **오른쪽**에서 더 호발한다. ★

## ■ 서혜부 탈장에 대한 수술

**다음부터는 자세한 수술법에 관한 내용이기 때문에 의대생수준에서는 이런게 있구나 정도만 알고 넘어가시면 됩니다.**

- Inguinal hernia는 수술로 치료해야 하며 저절로 없어지지는 않는다.

  Groin hernia repair는 Incarceration이나 strangulation이 없으면 elective하게 시행할 수 있다.

### ■ Iliopubic Tract Repair

- Transversus abdominis aponeurotic arch 와 Iliopubic tract을 interrupted sutures로 봉합한다.

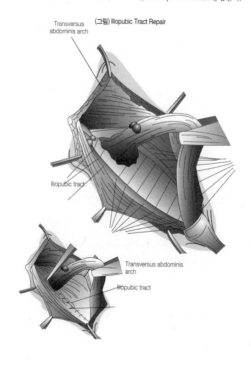

(그림) Iliopubic Tract Repair

## ■ Shouldice Repair

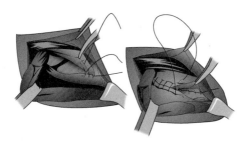

- 재발이 적다.
- **방법** : posterior wall을 continuous running suture로 multilayer imbricated repair하는 방법

  처음에는,

  Transversus abdominis aponeurotic arch 와 Iliopubic tract를 봉합한다.

  다음에는, Conjointed Tendon 와 Inguinal ligament를 봉합한다(Bassini Repair을 추가함).

## ■ Bassini Repair

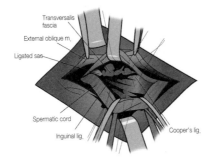

Transversalis fascia

External oblique m.

Ligated sac

Spermatic cord

Inguinal lig.

Cooper's lig.

- 적응증 : Indirect inguinal hernia & 작은 direct hernias에 이용되어 옴. Tension-free repair 이전에 가장
  많이 쓰던 방법
- Conjointed Tendon과 Inguinal Ligament를 봉합한다.

## ■ McVay (Cooper ligament) Repair

(그림) McVay (Cooper ligament) Repair

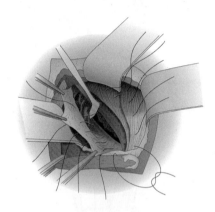

- 적응증 : 큰 inguinal hernias, Direct inguinal hernia, 재발성 탈장, Femoral hernia
- 방법
  Trans. abdominis aponeurosis과 Cooper Ligament를 봉합한다.

## ■ Lichtenstein (Tension-free) Repair

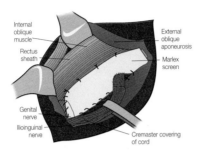

Internal oblique muscle
Rectus sheath
Genital nerve
Ilioinguinal nerve
External oblique aponeurosis
Marlex screen
Cremaster covering of cord

• m/c 현재 가장 많이 사용하는 방법
• 외래에서 부분마취하★에서도 시행할 수 있다.

## ■ Preperitoneal Repair

• 적응증 :
재발성 서혜부 탈장, sliding hernias, strangulated hernias, femoral hernias
• 방법
서혜부 탈장의 경우는, Trans. abdominis aponeurosis과 iliopublic tract를 봉합한다.
femoral hernias의 경우는, Cooper' s ligament과 iliopublic tract를 봉합한다.

━━━▶ 추가노트 ..................................................................................

★ Lichtenstein (Tension-free) Repair의 장점
① 국소마취로 가능하다.
② 통원 수술로 가능하다.
③ 통증이 적다.
④ 재발이 적다.

(그림) preperitoneal approach의 절개선

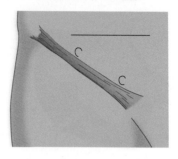

(그림) preperitoneal space로의 접근

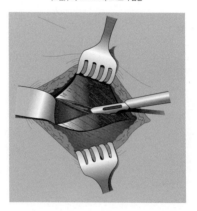

(그림) femoral canal의 확인 이때 femoral canal의 위쪽 경계가 iliopubic tract에 해당하며
아래쪽경계가 Cooper's ligament에 해당한다.

(그림) 위의 iliopubic tract과 Cooper's ligament를 approximation하여 femoral opening을
좁혀주어서 femoral hernia를 교정한다.

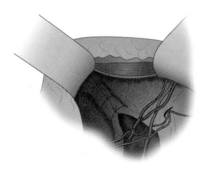

(그림) Indirect inguinal hernia의 치료 - Int. inguinal ring을 좁혀준다.

(그림) direct inguinal hernia의 치료 -iliopubic tract과 trans. abdominal aponeurosis를 approximation해준다.

## ■ 복강경을 이용한 탈장 교정 (Laparoscopic Hernia Repair)

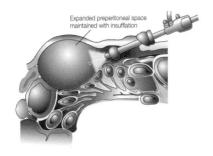

(그림) The total extrapertioneal (TEP) laparoscopic hernia repair

Expanded preperitoneal space
maintained with insufflation

(그림) Total extrapertioneal (TEP)에서 prosthetic mesh를 위치시킨 그림. staplers에
위치 및 주의해야 할 신경 및 혈관의 분포를 눈여겨 보자.

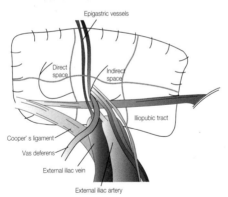

Epigastric vessels

Direct
space

Indirect
space

Iliopubic tract

Cooper's ligament

Vas deferens

External iliac vein

External iliac artery

• 적응증 : 재발성 탈장 & 양측성 탈장

 추가노트

☞ 복강경을 이용한 탈장수술(TEP)후에 환자회복은 매우 빠르다. 단점으로는 논문마다 차이가 있지만 open
surgery보다 재발률이 높다는 보고가 있다.

## ✕ FEMORAL HERNIA

• Femoral hernia가 발생하는 위치 (경계)는,

> "**위**"로는 Iliopubic tract, "**아랫쪽**"으론 Cooper's ligament,
> "**가쪽**"으로는 Femoral vein, "**안쪽**"으로는 Iliopubic tract이 Cooper's ligament로 insertion하는 부위이다.

(그림) Femoral hernia 위치

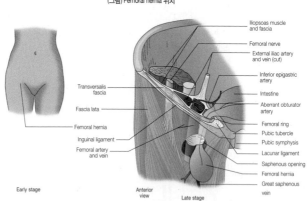

Early stage

Anterior view

Late stage

(labels:)
Iliopsoas muscle and fascia
Femoral nerve
External iliac artery and vein (cut)
Inferior epigastric artery
Intestine
Aberrant obturator artery
Femoral ring
Pubic tubercle
Pubic symphysis
Lacunar ligament
Saphenous opening
Femoral hernia
Great saphenous vein
Transversalis fascia
Fascia lata
Femoral hernia
Inguinal ligament
Femoral artery and vein

• 검사상 Femoral hernia는 Inguinal ligament **아래로** 종괴를 형성한다.

• **여성**에서 남성보다 많이 발생함. 하지만 여성에서도 가장 많은 것은 indirect hernia이니 조심합시다.

• **치료** : Cooper's ligament (McVay) Repair
    └ 즉, Hernial sac을 제거 후

Cooper's ligament과 iliopublic tract를 봉합한다.

## 🔲 배꼽 탈장 (UMBILICAL HERNIA) [15]

• 2세까지 대부분 저절로 소실됨★
∴5세 이후까지 지속되는 umbilical hernia는 수술하자.

• 치료 :
    a. Vest-over-Pants 교정술
    b. 크기가 큰 경우 mesh로 보강함.

## 🔲 절개창 탈장 (INCISIONAL HERNIA)

### 1. 원인

• 전 수술시 절개 (incision) 부위로의 탈장
• 기여 인자
  : 비만, 고령, 영양결핍, 복수, 혈종, 복막투석, **"창상감염"** ( m/c) 술후 폐합병증 및 약제(스테로이드 &
  항암주사)

### 2. 치료

• 수술시기 : 환자의 질환상태가 안정화되고, **영양상태가 극대화**되었을 때
• 방법들 : Mattress suture 및 인공구조물을 이용하여 보강한다.

## 🔲 활주 헤르니아 (SLIDING HERNIA)

### 1. 특징

• Viscus가 탈장낭벽의 일부분을 차지할 때 → 보통 대장이나 방광임
• **"맹장"** 이 RIH에 많이 관여되고, **"에스자 결장"** 이 LIH에서 가장 많이 관여함.
• Indirect Inguinal hernia가 Sliding hernia의 가장 흔한 유형이지만 Femoral & Direct inguinal sliding
  hernia도 발생할 수 있다.
• 위험한 것은 발견못해서 bowel이나 bladder에 손상을 주는 것이다.
  bowel이나 bladder에 손상을 주기 전에 hernia sac에 visceral component를 모르고 넘어가는 것이
  sliding hernia의 일차적 위험이다.

(그림) SLIDING HERNIA

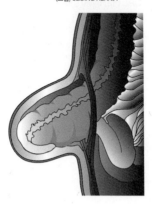

## 2. 치료

- 탈장낭은 앞안쪽 경계 ★로 열어야 하는데, 이는 Visceral component은 보통 탈장낭의 **뒤가쪽**에 위치하기 때문이다.

→ Reduction of viscera into the peritoneal cavity & Ligation of Hernial sac

## 흔치 않은 탈장들

### ■ Richter's Hernia

- "장의 Antimesenteric border" (전체 intestine circumference가 아닌)가 탈장낭으로 돌출된 것
- 보통 Femoral hernia 부위에 많이 발생한다.
- **치료** : Reduction & Repair

(그림) Richter' s Hernia

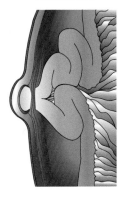

## ■ Littre' s Hernia

- 정의 : Meckel' s diverticulum이 hernial sac의 유일한 구조물일 경우
- 치료 : Hernial repair with/without resection of Meckel' s diverticulum

## ■ Spigelian Hernia

- 안쪽으론 rectus muscle, 가쪽으론 semilunar line 사이의 aponeurotic layer (=Spigelian fascia)에 발생한 탈장(interparietal hernia)
- **Arcuate line 및 하방**에서 발생하는데 이는, 이 부위에 **fascia가 없어서** (이 부위가 약해서) 발생하는 것이다.
- SONO나 CT로 우연히 발견될 수도 있다.
  └─ 진단목적으로 사용한다면 촬영시 Valsalva maneuver시킨다.
- **치료** : incarceration 위험이 있기때문에 **수술적 교정**이 필요하다.

## ■ 합병증

• 빈도 : 대략 10%

① **수술 도중의 합병증** : 정관 및 혈관 신경 손상

② **창상 합병증** : 감염, 혈종 등

③ **생식기계 합병증** : 불임, Hydrocele...

④ **비뇨기계 합병증** : 배뇨곤란, 비뇨기계의 감염

⑤ **전신적 합병증** : 폐합병증 (폐허탈, 폐렴, 폐색전증), 심부정맥혈전증, 신부전

⑥ **재발**

  • Indirect hernia : 1-7%, Direct hernia : 4-10%, Femoral hernia : 1-7% Recurrent hernia repair : 5-35%

⑦ **"신경손상"** ★

> • Ilioinguinal and iliohypogastric nerves : open herniorrhaphy 시
>
> • Genitofemoral & Lat, femoral cutaneous n : 복강경수술 시

# 12 급성 복통
*Acute Abdomem*

- 급성복통 (Acute abdomen)
  : **수술**로만 치료될 수 있는 복강내의 증상 및 징후

## ANATOMY & PHYSIOLOGY

(그림) SESORY INNERVATION OF VISCERA

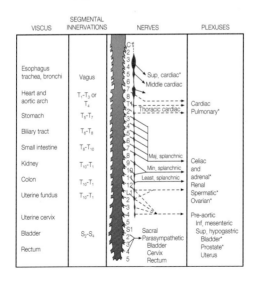

- **임신 3주 후, 원시장→** foregut, midgut, hindgut으로 나누어짐
  ① "Foregut" : pharynx, esophagus, stomach & proximal duodenum
  ② "Midgut" : 4th portion of the duodenum ~ midtransverse colon
  ③ "Hindgut" : distal colon, rectum
  따라서 아래와 같이 기원부위에 따른 통증을 유발한다.

| |
|---|
| a. **Foregut 질환시** : Celiac axis afferents를 통해 "Epigastric" pain |
| b. **Midgut 질환시** : SMA afferents를 통해 "Periumbilical" pain |
| c. **Hindgut 질환시** : IMA afferents를 통해 "Suprapubic" pain |

### 1. 이중 신경 지배

| Visceral pain | Somatic Innervation |
|---|---|
| • 장관의 "확장", "stretching", "염증" 등으로 유발되며, dull하고 잘 localization되지 않는다. | • 벽측 복막, 복벽, 후복막 연부조직은 segmental nerve root 에 부합한 somatic innervation을 받는다. |
| cf) cutting, tearing, crushing, or burning : no pain in the abdominal viscera | • 즉, "벽측복막자극시" 자극 부위의 localization이 가능하며, 예리하다. |

※ 이러한 복강의 이중 신경지배로 특징적인 통증 양상을 지닌다.
  예컨대, 충수염 통증은 poorly localized periumbical pain부터 시작하여 (→ "Visceral pain"), 염증이 parietal peritoneal surface에 이르면 RLQ로 sharply localized pain을 지니게 된다.(→ "Somatic pain")

## 2. 연관통 (Referred pain) : 자극부위에서 **먼쪽**에서 통증이 느껴짐

### (표) 연관통과 관련 질환부위

| 오른쪽 어깨 | • 간<br>• 담낭<br>• 우측 횡격막 |
| --- | --- |
| 왼쪽 어깨 | • 심장<br>• 췌장 원위부<br>• 비장<br>• 왼쪽 횡격막 |
| 음낭(scrotum)및 고환(testicle) | • 요관 (ureter) |

---

**▶ 추가노트**

cf) "Migratory pain" : 통증부위가 바뀌는 경우

ex) 충수돌기염시 : Epigastric or Periumbilical pain → RLQ 충수돌기의 확장 및 염증은 visceral pain을 유발하여 periumbilical area에 통증이 발생한다. 염증이 퍼져서 Parietal peritonitis를 유발하면 RLQ로 국소화된다.

ex) 십이지장 궤양의 천공시 : Epigastric → RLQ
십이지장 내용물의 유출로 인해 Epigastric pain이 유발되며, 이 십이지장 내용물이 중력에 따라 RLQ로 내려가면 통증위치가 변화된다.

## ▨ 임상 양상

### ■ 병력

• 6시간 이상 높은 강도로 지속되는 복통은 보통 **수술적 치료**를 필요로 한다.

### 1. 초기 증상

① **심한 복통**이 **갑작스럽게** 발생시
→ 장관 천공★ 및 Visceral a. embolus 시사

② 갑작스런 전복부의 **격렬**한 통증시
→ Intraabdominal Catastrope, 즉 shock을 유발하며 즉각적으로 치료해야 한다.

③ 1~2시간동안 통증의 **강도**가 진행할 때
→ Acute cholecystitis, Acute pancreatitis & Proximal SB obstruction

④ 어렴풋한 전복부 **불편감**이 수시간 후 강도가 심해지며 일정 부위로 통증이 국소화될 경우
→ 급성충수염, 감돈성 탈장, 원위 소장 및 결장 폐쇄, 게실염, 국소화된 장관의 천공

### 2. 통증의 성질, 강도 및 주기성

① 장관 천공시 → **지속적인 예리**한 통증

② 소장 패색
: 막연한, 깊고 일정한 통증으로 시작
→ **통증크기가 커졌다가 작아졌다가 함** (Colicky pain)
→ 무디고 (Dull) 일정한 통증 (Intestinal infarction을 초래한 경우)

③ 신장결석
: 불안정하며 **초조**하며 환자가 계속 **움직**이려 함
cf) 복막의 환자는 조용히 눕고, 방해를 받는 것을 싫어함

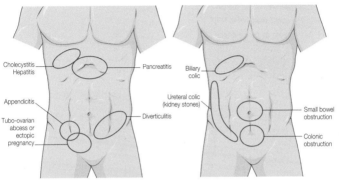

(그림) 점차적으로 진행하는 통증의 원인

Cholecystitis
Hepatitis

Pancreatitis

Appendicitis

Tubo-ovarian
abcess or
ectopic
pregnancy

Diverticulitis

(그림) 갑작스럽고 심한 통증의 원인

Biliary
colic

Ureteral colic
(kidney stones)

Small bowel
obstruction

Colonic
obstruction

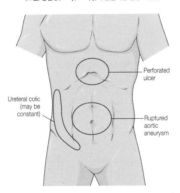

(그림) 경련성(coliky,crampy)의 간헐적인 통증의 원인

Perforated
ulcer

Ureteral colic
(may be
constant)

Ruptured
aortic
aneurysm

## 3. 연관통

① 급성 담낭염 → Rt. Costal margin
② 췌장염 → costal margin에서 등까지
③ 신결석 → groin or perineal area

(그림) 연관통 1
굵은선이 원발병소, 점선이 연관통 부위

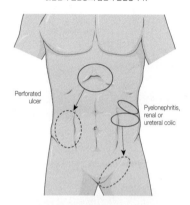

Perforated ulcer

Pyelonephritis, renal or ureteral colic

(그림) 연관통 2

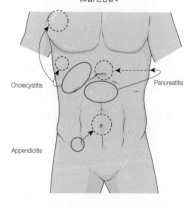

Cholecystitis

Pancreatitis

Appendicitis

## 4. 동반증상

### ① 구토 (Vomiting)

- 수술을 요하는 환자는 통증 → 구토 순서
  (cf. 내과적 질환인 경우는 Vomiting → Pain)
  이것으로 Appendicitis와 Gastroenteritis를 구분할 수 있다
- 구토를 동반하는 질환 : 급성 담낭염, 위염, 췌장염 & 장폐색

> - 근위소장폐색이 원위소장폐색보다 더 많은 구토를 유발한다.
> - 결장폐색시 구토는 흔치 않다.

- 구토의 성상
  a. Feculent : 오랜기간이 경과한 소장폐색시
  b. 담즙성 : Ampulla of Vater 원위부 폐색
  c. Clear : Ampulla of Vater 상부의 폐색

### ② 식욕저하 (Anorexia)

- 대부분의 급성복통 환자는 식욕이 떨어진다.
- 급성충수돌기염의 경우 Anorexia가 복통보다 앞서게 된다.

### ③ 장기능 변화

- 변비, 설사 및 최근의 장 습관 변화
- Watery diarrhea → Gastroenteritis
- 가스배출이 안되고 장운동저하시 → 기계적 장폐색

## 5. Menstrual Hx

- Ovulation시 심각한 복통을 일으킬 수 있다.
  Missed or irregular menstrual perioid는 임신 및 자궁의 임신과 연관이 있다.
  따라서 월경력을 물어보는 것은 가임기 여성에서 중요함

## 6. 복약력

① NSAIDs : 상부위장관 염증과 천공을 유발한다
② Steroid : 감염시 반응을 둔화시킴 → 심한 peritonitis로 진행위험 증가
③ 항응고제 : 출혈 위험성 증가
④ 만성 음주력 : 출혈위험과 문맥고혈압 유발

### 7. 과거력

① 특히 **과거 수술력**이 중요하다.

② 전신질환 및 신장 폐질환이 배제되어야 한다.

**[그림] Acute abdomen의 흔한 원인들【15】**

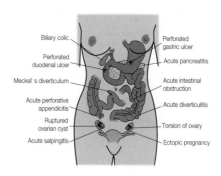

**(표) 위장관 염증에 속발한 복통**

1. 위
   • Gastric ulcer
   • Duodenal ulcer
2. 담도
   • Acute cholecystitis with or without choledocholithiasis
3. 췌장
   • Acute, recurrent, or chronic pancreatitis
4. 소장
   • Crohn's disease
   • Meckel's diverticulum
5. 대장
   • Appendicitis
   • Diverticulitis

(표) 위장관 폐색 후 발생하는 복통

| 공장 | 회장 | 결장 |
|---|---|---|
| • 종양 | • 종양 | • 종양 |
| • 염전 | • 염전 | • 염전 |
| • 유착 | • 유착 | • 게실염 |
| • 장 중첩증 | • 장 중첩증 | |

(표) 산부인과와 관련된 복통

| Ovary | Fallopian tube | Uterus |
|---|---|---|
| Reptured graafian follicle | Ectopic pregnancy | Uterine rupture |
| Torsion of ovary | Acute salpingitis | Endometritis |
| | Pyosalpinx | |

■ P/Ex 【14】【16】【17】

① 발열
- 저열시 : Diverticulitis, Appendicitis, Acute cholecystitis
- 고열시 : pneumonia, UTI, septic cholangitis, Gynecologic infection

② Rapid HR & hypotension : 복막염 진행시

③ 시진
- 종괴, scar, hernia, abdominal wall defect 여부 확인
  └ Acute cholecystitis, acute pancreatitis, abdominal aneurysm & diverticulitis는 종괴 형성 가능
- 복부상태가 flat, scaphoid & distension되어 있는지 확인
  └ 장폐색, 장마비 or Fluid (ascites, blood or bile)

④ 촉진으로 압통 부위를 찾자 (통증이 없는 부위부터 촉진한다)
- GUARDING. 촉진시 복부근육 tone 상승
- Rebound tenderness : 역시 복막염을 시사한다.
  └ 손을 갑자기 뗄 때 복통 증가
- Murphy sign : acute cholecystitis

⑤ 청진
- 장소리가 들리지 않으면 ileus를 시사한다.
- 장음 고조시: Gastroenteritis
- 장소리가 들리지 않다가 높은 장음이 → 기계적 장폐색
- Bruit 여부도 확인해야 함.

⑥ 타진

- 타진시 tenderness가 있으면 염증이 있음을 의미한다.

- **Hyperresonance or Tympany** → gaseous distension or intestine or stomach.

- **Resonance** → free intraabdominal gas를 시사함.

■ 검사시 소견

① WBC증가를 확인하자.

WBC가 정상시 <u>WBC differential count</u> 가 중요하다.
└── marked left shift는 WBC count 증가보다 중요하다.

② 탈수가 심할 경우 이뇨제 복용여부를 알아보고, Na, K, BUN/Cr Glucose, Chloride 및 $CO_2$를 확인한다.

③ serum amylase↑ : **췌장염, 십이지장궤양천공, 소장 infarction**

④ Obstructed jaundice or Acute hepatitis : Bilirubin, ALK-P, serum Transaminase 증가

⑤ Urinalysis : UTI, Hematuria, Proteinuria, Hemoconcentration

⑥ $\beta$ hCG : 가임기 여성에서

■ 영상 검사

### 1. X-ray 【15】【16】【17】

① 기복증 (Pneuoperitoneum)

- Upright chest x-ray : 1 cc의 공기도 발견될 수 있다.

- Lateral decubitus : 5-10 cc의 공기 발견함.

- <u>75%의 Perforated DU는 X-ray에서 관찰가능한 기복증 소견을 지닌다.</u>
└── 매우 빈출하는 영상소견이니 영상소견을 같이 꼭 공부하시길 바랍니다.

▬▬▶ 추가노트 ·····

cf) Appendicitis시의 소견 ★
- "Iliopsoas sign" : hip의 passive extension이나 저항에 반하는 active flexion시 통증 유발
- "Obturator sign" : flexed hip의 내전 혹은 외전 시킬 때 통증 유발
- infamed pelvic appendix 혹은 a pelvic abscess시 직장수지검사 (DRE)시 통증이 유발된다.
★★★★★ 소화성 궤양 천공으로 인한 기복증은 매우 자주 출제되며 실제로 응급실에서 흔히 볼 수 있다.

② 석회화 (Calcification)

- 10%의 Gallstone 및 90%의 kidney stone이 radiopaque! ★
- Appendicitis에서 Calcified Appendicholith가 보일 수 있고 만성 췌장염에서 Pancreatic calcification이 보일 수 있다.

③ 장 폐색

- 소장폐쇄시 multiple air-fluid levels가 확장되며 복부중앙쪽으로 몰린 소장의 loop에 보일 수 있다. 이때 소장 loop의 valvula conniventes가 보인다. 대장 가스는 보통 보이지 않는다.

## 2. CT

- 장관내출혈, Mesenteric venous thrombosis 및 "췌장염", "게실염" ★
  진단에 유용하다.

## 3. SONO

- liver, gallbladder, bile duct, spleen, pancreas, appendix, kidney, ovaries, adnexa, uterus,aortic, visceral artery aneurysm, venous thrombosis, AV fistula,vascular anomalies,appendicitis 등을 관찰할 때 빠르고 손쉽게 이용할 수 있다.

■ 나이에 따른 감별질환

① 소아 : 충수염이 소아급성복통의 가장 흔한 원인
② 노인 : 급성담낭염, 장폐쇄, 종양, 급성 장간막혈관 질환
③ 젊은여성
   : salphingitis, dysmenorrhea, 난소병변, UTI, 임신과 관련된 합병증
④ 내과적 원인 : 보통 국소화된 압통 및 guarding이 없다.

##  ACUTE VISCERAL ISCHEMIA

※ acute visceral ischemia가 있는 대부분의 환자는 개복술을 필요로 한다.

### 1. Acute SMA Embolism 【13】【15】【16】

- 갑작스런 격렬한 복통
- 이 허혈성 통증은 장괴사가 발생하기 전까지 계속 지속된다.
  이 통증이 복막염 기원이 아니라, **장허혈에서 기원한 것이기 때문에** 복부 압통, guarding 및 rebound tenderness를 동반하지 않으며, **통증이** P/Ex소견보다 **더 과장**되어 나타난다. ★
- 장음감소
- 심장이 embolus의 가장 흔한 기원이기 때문에 **심부정맥 (esp. AF), 최근의 심근경색** 등이 위험인자에 속한다.

### 2. SMA Thrombosis

- SMA의 **atherosclerotic thrombus**로 인해 발생. 심한 leukocytosis & acidosis
- 중년 이상의 연령에서 많다.

### 3. Venous Thrombosis

- 젊은 환자에서, **경구 피임제**가 원인이 될 수 있다.
- acute visceral ischemia가 의심이 되면 혈관 촬영을 시행해야 한다.
  하지만 venous disease의 경우는 **혈관 촬영은 도움이 되지 못하고** CT 및 MRI로 clot 위치를 찾을 수 있다.

### 4. Nonocculsive Visceral Ischemia

- Improving cardiac output to restore intestinal perfusion is important

# ACUTE ABDOMINAL PAIN DURING PREGNANCY

## 1. 충수염 【14】

• 자궁이 충수돌기를 RUQ로 밀어내기 때문에 진단이 어렵다. 또한 염증수치도 일반적인 환자와 다르다.

→ 진단 즉시 **수술(복강경 혹은 개복)한다. ★**

**(그림) 임신 개월에 따른 충수돌기의 위치**

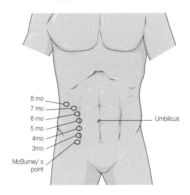

## 2. 담낭염

• Biliary colic이 심할 경우는 기다렸다가 임신 2기 (second trimaster)에 수술한다.

• 담석이 있는 환자에서 임신중 **심한 담낭염** 발생시 **즉각적인 수술**(보통 복강경하 담낭절제술)이 필요하다.

## 3. 기타

spontaneous rupture of Liver (d/t Preeclampsia), Placental rupture, Uterine rupture, Torsion of ovary, UTI & Pulmonary embolus

▶ 추가노트 ……………………………………………………………………………

☞ 복강경을 이용할 경우 **15mmHg**까지의 압력은 위험하지 않으며 $CO_2$수치 및 태아심장박동을 monitor해야 한다.

# ■ 급성부종의 비외과적인 원인 ★★

1. 심장
   - Myocardial infarction
   - Acute pericarditis
2. 폐
   - Pneumonia
   - Pulmonary infarction
3. 위장관
   - Acute pancreatitis
   - Gastroenteritis
   - Acute hepatitis
4. 내분비
   - Diabletic ketoacidosis
   - Acute adrenal insufficiency
5. 대사성
   - Acute porphyria
   - Familial Mediterranean fever
   - Hyperlipidemia

6. 근육골격계
   - Rectus muscle hematoma
7. 신경계
   - Tabes dorsalis
   - Nerve root compression
8. 비뇨생식기계
   - Prylonephritis
   - Acute salpingitis
9. 혈액
   - Sickle cell crisis

[보충]

# 치료의 알고리즘

1. **갑작스럽게 발생**한 **심한** 전반적인 복통시

→ 가장 흔한 경우가 위장관의 천공이다. 흔치 않지만 복막염 소견이 없으면 혈관성질환 즉, arterial ischemia 및 mesenteric venous thrombosis도 감별해야 한다.

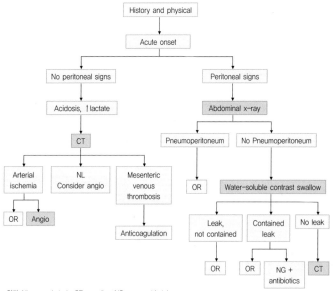

약자: NL, normal study; OR,operation; NG, nasogastric tube

---

**Point!!**

실제적으로는 **장관천공여부**를 감별하기 위한 **흉복부단순촬영** 및 **장간막혈전증**을 감별하기 위한 **CT촬영**이 필요한 상황이다.

---

2. **점차적으로 진행**되어 심한 전반적인 복통시
   → 췌장염 및 담관염(cholangitis)를 감별해야 한다. amylase 및 간기능검사를 통해 가능성을 의심할 수 있으며 CT가 진단에 도움을 준다.

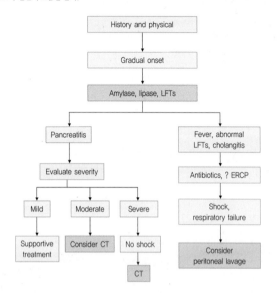

---

#### Point!!

실제적으로는 담낭염 및 췌장염을 감별하기 위해 복부 CT촬영을 시행한다.

---

3. **LUQ pain**의 경우는 CT검사를 시행하여 원인을 밝힌다.

## 4. RUQ pain의 경우 【13】【15】

→ 담낭염, 담관염 등을 포함한 간담도계 질환들이 여기에 속한다.

초음파검사가 초기검사로 매우 유용하다. 담관이 늘어난 경우에는 담관결석도 동반되어 있을 수 있으므로 CT 및 ERCP를 통해 확인해야 한다.

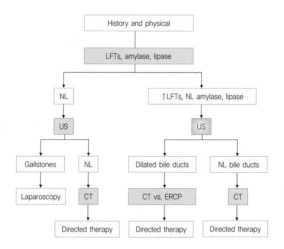

### Point!!

우상복부통증시 **초음파**검사를 통해 쉽게 **담낭염** 여부 및 **담관상태**를 알 수 있으며 이상이 발견되지 않거나 담관상태를 확인하기 위해서 **CT검사**를 추가할 수 있다.

## 5. RLQ pain의 경우 【15】

### Point!!

**충수돌기염**을 의심해야 한다. **남성**의 경우는 임상적으로 의심이 될 경우 CT검사 없이도 수술을 할 수 있지만 **여성**의 경우는 여러 감별질환들이 있기 때문에 충수돌기염 가능성이 높아도 **술전 CT검사**를 시행해야 한다.

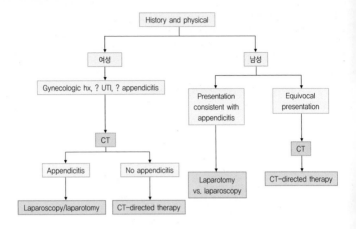

### 6. LLQ pain의 경우 【15】

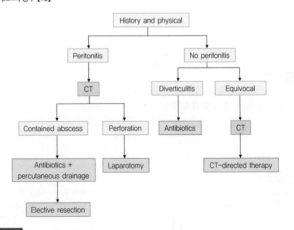

**Point!!**

가장 흔한 LLQ pain의 원인은 게실염이다. 역시 CT검사가 진단에 큰 도움이 된다.

★ ☆ ☆ ☆ ☆

# 13 급성 위장관 출혈
## *Acute Gastrointestinal Hemorrhage*

- 전체 사망률 : 5-12%

  지속성 혹은 재발성 출혈의 경우 : 40% 사망률
- >85%의 위장관 출혈 원인

  : 소화성 궤양, 정맥류 출혈, 결장 게실증, Angiodysplasia

  a. 85% : 저절로 멈춤

  b. 15% : major, ongoing bleeding (aggressive하게 치료해야 한다)
- 나이가 증가할수록 출혈 위험 증가

  a. 상부 위장관 출혈 (85%) : Treitz ligament 상방

  b. 하부 위장관 출혈 (15%) : Treitz ligament 하방

  이중 소장 출혈은 1-5%로 적을 뿐만 아니라 진단하기도 어렵다. (Hemorrhage of Obscure origin)

## ▨ 위장관 출혈 초기 환자의 초기 치료

### ■ 1. 첫 평가

① 병력 청취 및 진찰
- 개인력, 출혈 양상, 기간, 동반증상, 복약력, 동반질환

② 출혈의 특징

a. "토혈 (Hematemesis)" : 상부 위장관 출혈

b. "흑색변 (Melena)" ★
  - 상부 (주로) 혹은 하부 위장관 출혈 (small bowel, Rt colon 출혈시도 가능)
  - 50-60ml의 blood로도 나타날 수도 있다.
  - 출혈후 5-7일간 지속될 수 있다.
  - 출혈 3주까지 guaiac test (+) 나올 수 있다.

c. "혈변 (Hematochezia)" :
  - colonic hemorrhage, very rapid upper GI hemorrhage
  - 상부위장관 출혈에서 동반시 짧은 간격 동안의 1,000cc 이상 출혈 의미

④ 관련 약제

- Salicylate, NSAIDs
- Warfarin, LMWH (low molecular weight heparin)
- SSRI
- 심혈관계 약 : $\beta$ Blocker, CCB, Antihypertensives

  이러한 약제들이 hypovolemia의 정상적인 생리작용에 변화를 주기 때문이다.

⑤ 과거력 확인

- Dysphagia, Reflux Esophagitis, Vomiting, Peptic Ulcer, H, Pylori Infection, Liver Disease, Alcohol Abuse, IBD...

⑥ P/Ex

| a, Shock c hypotension, tachycardia, cold extremities | 최소한 40% 실혈 |
|---|---|
| b, Orthostatic vital sign<br>(pulse 20회/min이상 증가, BP 10mmHg 감소) | 20% 실혈 |
| c, Peripheral hypoperfusion 증후시 :<br>(Clammy, Cool, Pale extremities...) | 20% 실혈 |

- 노인에서는 postural change가 과장되어 나타나고, 심박동수 변화는 저명하지 않다.
- >20% 실혈시 : Prompt & Aggressive resuscitation
- Rectal Exam.을 시행해야 한다.

⑦ 검사실 소견

- 초기 hematocrit은 정확한 출혈 정도를 반영하지 못한다.

  (∵ Intravascular volume repletion from extracellular fluid may not have occurred)

## ■ 2. 위험인자 분석

- 아래의 경우는 입원해서 치료해야 할 적응증이다.

**(표) 급성 위장관 출혈에서 사망률 및 이환율을 증가시키는 위험인자**

| | |
|---|---|
| 1) 나이 > 60세<br>2) 동반질환 : 신부전,간질환, 호흡기이상 및 심장질환<br>3) 출혈의 정도<br>　내원시 수축기혈압 < 100 mmHg<br>　수혈이 필요한 경우 | 4) 지속적인 혹은 재발성의 출혈<br>5) 입원기간의 출혈<br>6) 수술이 필요한 경우 |

## ■ 3. 소생술 (Resuscitation)

- IV line 확보
- **대량 토혈, 의식 저하 & 혈역학적으로 불안정한 환자**
  → **폐흡입**의 위험이 높기 때문에 **기관내 삽관술 (Endotracheal Intubation)** 시행해야 한다.
- 응고장애시 FFP & PLT 등을 보충한다.

## ■ 4. 출혈부위 확인

- 아래의 방법으로 출혈부위를 찾는다.

(그림) 급성 위장관 출혈의 진단

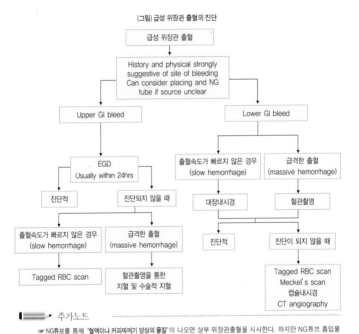

▶ 추가노트

☞ NG튜브를 통해 "혈액이나 커피찌꺼기 양상의 물질"이 나오면 상부 위장관출혈을 시사한다. 하지만 NG튜브 흡입물이 "clear하며 혈액소견이 없을 때"의 20%가 상부위장관 출혈소견이 있으므로 이 경우에도 위내시경을 시행해야 한다. NG튜브를 통해 "담즙"이 나오는 경우 보통 상부 위장관출혈이 아니라고 생각할 수 있으나 담즙으로 생각되는 분비물 중 60%만이 실제적인 담즙일 수 있으므로 주의를 요한다. 또한 십이지장에 심각한 출혈이 있는 경우(상부위장관 출혈) 위유문부의 기능이 정상적이라면 출혈은 위로 역류되지 않으므로 NG튜브 흡입물은 정상이고, melena나 hematochezia양상으로 나타날 수 있다.
→ 따라서 "심각한 위장관 출혈"이 있는 경우는 "상부내시경검사"를 시행해야 한다.

---

**Point!!**

위장관출혈시 첫 단계는 "**NG튜브를 삽입**"하여 상부위장관 출혈여부를 확인하는 것이다. (하지만 상부 위
장관 출혈의 확진은 상부내시경을 통해 이루어짐을 잊지 말자.)

| **상부 위장관 출혈**이 의심될 때 | **하부위장관 출혈**이 의심될 때 |
|---|---|
| "**상부내시경**"을 시행하고,<br>출혈량이 많을 때 **혈관촬영술**을 통한<br>지혈 및 **수술적 치료**를 고려한다. | 출혈량이 많으면 "**혈관촬영**"을 통한<br>진단 및 치료를 고려하고, 출혈량이<br>적으면 "**대장내시경**"을 시행한다. |

---

■ 5. 각각 질환에 따른 치료

## 🔳 급성 상부 위장관 출혈

※ 급성 상부위장관 출혈의 흔한 원인들

| 비정맥류성 출혈 | (80%) | 문맥고혈압성 출혈 | (20%) |
|---|---|---|---|
| **소화성 궤양** | 30-50% | **위식도 정맥류** | 〉90% |
| 위염 및 십이지장염 | 20 | 고혈압성 문맥 위병증 | 〈5% |
| Mallory-Weiss tears | 5-10 | (Hypertensive portal gastropathy) | |
| 식도염 | 5-10 | 단독 위정맥류 | Rare |
| AVM | 5 | (Isolated gastric varices) | |
| (Arteriovenous malformation) | | | |
| 종양 | 2 | | |
| 기타 | 5 | | |

## ■ Bleeding Peptic Ulcer

• 상부 위장관 출혈의 가장 흔한 원인 : Gastric (25%), Duodenal (25%)

### 1. 병인

• NSAIDs를 복용하는 환자는 H. pylori감염환자보다 15-20% 출혈성 궤양 가능성이 높음

### 2. 예후인자

• BLEED risk classification

### 3. 내시경소견

• 급성 출혈 시의 내시경이 elective때보다 위험도가 크다.

• 내시경상에서의 **궤양소견**이 가장 중요한 재출혈예측인자이다.

• Forrest 분류

**(표) 소화성궤양에서 내시경적 소견 및 재출혈여부를 평가하기 위한 Forrest 분류**

| | 내시경 소견 | 재출혈 위험 |
|---|---|---|
| Grade Ia | 급성, 박동성 출혈 (pulsatile bleeding) | 높다 |
| Grade Ib | 급성, 비박동성 출혈 | 높다 |
| Grade IIa | 출혈하는 혈관을 발견할 수 없음 | 높다 |
| Grade IIb | 혈액응고 clot만 관찰됨 | 중등도 |
| Grade IIc | 검은 부위(black spot)을 동반한 궤양 | 낮다 |
| Grade III | 깨끗하고 출혈흔적없는 궤양저 | 낮다 |

### 4. 치료방법들

1. 약물 치료

① 급성 소화성 궤양의 출혈에서 PPIs는 재출혈의 위험을 낮추고, 수술적 치료의 필요을 낮춘다.

② H. pylori감염과의 관련성

• H. pylori감염과 궤양성 출혈과의 관계는 높지 않다.
  (출혈하는 소화성궤양 환자의 60-70%만이 H. pylori양성임)

• 하지만 H. pylori(+)인 환자에게서 H. pylori박멸을 시행할 경우 재출혈의 위험을 현저히 낮춘다.
  (H. pylori박멸후에는 장기간의 위산억제요법이 필요하지 않다)

③ 관련약제 중단

• NSAIDs나 SSRIs같이 궤양유발약제는 중단하고 대치한다.

**▶ 추가노트**

☞ 궤양크기가 클수록 (2cm) 재출혈 위험 증가

## 2. 내시경적 치료

- 급성출혈을 멎게 하거나 재출혈 위험을 막을 수 있다.
- 방법 : 에피네프린(1:10,000) 주입, heater probe, 응고요법 및 클립(hemoclips)을 통한 지혈법
- 20%는 실패→ 내시경을 다시하거나 수술을 함.

**(그림) 비정맥류성 상부 위장관 출혈시의 진단 및 치료**

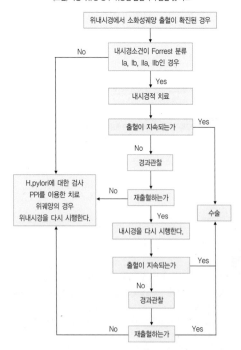

### Point!!

소화성궤양으로 인한 출혈시, 내시경적 지혈술이 기본이며 실패시 수술을 고려한다.

**추가노트**

☞ SSRIs : Serotonin-reuptake inhibitors로 NSAIDs와 함께 위장관 점막 미란(erosin)을 일으킨다.

## 3. 수술

• 적응증

1. 충분한 소생술을 시행했음에도(**6U** 이상의 수혈) 혈역학적으로 불안정할 때

2. 내시경적 지혈되지 않을 때

3. **2회**까지 내시경적 지혈술 후 다시 출혈할 경우

4. 재출혈과 관련되 속

5. 하루에 3U 이상의 수혈을 필요로 하는 지속적으로 천천히 출혈하는 경우

• 부위별 치료

a. 십이지장 궤양 출혈 : 출혈부위를 찾아 direct ligation + Truncal vagotomy

b. 위궤양 출혈

- 악성의 가능성이 "10%" 있다.

- simple ligation하면 30%에서 재출혈 → "GU를 절제" 하자!

   (Truncal vagotomy 추가함)      local excision or gastrectomy

## ■ Stress Gastritis ★

### 1. 정의 및 병인

① 위 전체에 다발성의 표재성 미란이 있는 상태 (특히, **위체부**)

② "**위 허혈이 있는 상태**" 에서 위산과 pepsin이 같이 작용하여 발생하는 것을 생각됨

   └ 중환자실 환자같이 "**중증도의 질환(critically ill)**" 이 있는 경우에 발생한다.

### 2. 위험인자 분석 및 예방

① 중환자실 환자들 중 실제적으로 stress gastritis로 인한 출혈 위험은 0.1%에 해당한다.

② "**기계호흡을 48시간 이상**" 하는 경우 및 "**응고장애**" 가 있을 경우 위험이 3.4%이므로 예방적 조치가 필요하다.

③ 제산제, H2수용체 차단제, PPI 및 Scralfate

**▶ 추가노트**

   ☞ 이런 것들은 암기하려고 하지 말고 상황을 이해하도록 하자.

### 3. 출혈시의 치료

① 위산억제 약물요법

② 혈관조영술

　　왼쪽 위동맥을 통해 octreotide나 vasopressin을 투여하거나 색전술을 시행

③ 내시경적 지혈술

④ 수술

- 출혈부위을 봉합하고 Vagotomy + Pyloroplasty 시행
- Near-total gastrectomy

## ■ Mallory-Weiss Tears

### 1. 특징

- UGIB의 10% . EG junction 부근의 위점막의 파열 (tear)
- 증상 : Vomiting, Retching, Coughing 후의 Hematemesis
- 평균 60세 이상, 80%가 남성. Alcoholism 환자에서 많다. 90%는 intervention 없이 저절로 멈춘다.

### 2. 치료

① Antisecretory agents

② 수술은 거의 하지 않지만 내시경적 지혈이 이루어지지 않을 경우 시행하며 high gastrotomy를 통한 oversewing of the mucosal tear를 시행한다.

■ Portal HBP로 인한 출혈

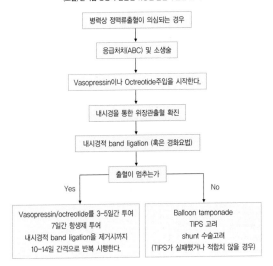

(그림) 문맥압 상승과 관련된 위장관 출혈의 진단 및 치료

병력상 정맥류출혈이 의심되는 경우

↓

응급처치(ABC) 및 소생술

↓

Vasopressin이나 Octreotide주입을 시작한다.

↓

내시경을 통한 위장관출혈 확진

↓

내시경적 band ligation (혹은 경화요법)

↓

출혈이 멈추는가

Yes — Vasopressin/octreotide를 3–5일간 투여
7일간 항생제 투여
내시경적 band ligation을 제거시까지
10–14일 간격으로 반복 시행한다.

No — Balloon tamponade
TIPS 고려
shunt 수술고려
(TIPS가 실패했거나 적합치 않을 경우)

---

**Point!!**

정맥류출혈시, "약물요법(Vasopressin/octreotide) → 내시경적 치료(band ligation or sclerotherapy)
→ Balloon tamponade or TIPS or Shunt Op"를 고려한다.

## ▨ 급성 하부 위장관 출혈

• Treitz ligament 하방에서의 출혈 (결장이 95-97%) 위장관 출혈의 15% 나이가 증가할수록 빈도 증가
(Diverticulosis, Angiodysplasia)

### ■ 임상양상

• Hematochezia, Melena, Hb/Hct의 감소
Hemodynamic instability (orthostatic change 30%, syncope 10%, shock 19%)

### ■ 원인

**(표) 하부 위장관 출혈시의 알고리즘**

| 결장출혈 (95%) | % | 소장출혈(5%) |
|---|---|---|
| **게실 질환** | 30-40 | **혈관형성이상** |
| **허혈** | 5-10 | 미란 혹은 궤양 |
| **항문직장질환** | 5-15 | (potassium 및 NSAIDs관련) |
| **종양** | 5-10 | 크론씨 병 |
| 감염성 결장염 | 3-8 | 방사선 |
| 용종절제 후의 출혈 | 3-7 | **멕켈씨 게실증** |
| 염증성 장질환 | 3-4 | 종양 |
| 혈관형성이상 | 3 | 대동맥장관루 |
| (Angiodysplasia) | | (Aortoenteric fistula) |
| 방사선 결장염 및 직장염 | 1-3 | |
| 기타 | 1-5 | |
| 원인을 모르는 경우 | 10-25 | |

• 원인을 찾기 어렵다.

왜? ① Intermittent hemorrhage

② 42%에서 multiple potential bleeding sources를 지닌다.

## 1. 게실증 (Diverticulosis, 40-55%) ★

- 하부 위장관 출혈증의 가장 흔한 원인 Diverticulosis환자의 3-15%가 출혈

  **출혈은 보통 diverticulitis와 연관되지 않는다.** (즉, diverticulosis와 diverticulitis를 구분하세요)

- 75%에서 저절로 멈춘다.

  좌측 결장의 diverticulum의 빈도가 높지만 출혈은 **우측 결장**에서 흔하며, bleeding의 속도 및 양도 우측 결장이 더 많다.

- 가장 좋은 진단 및 치료 방법은 colonoscopy이다.

## 2. 혈관형성이상 (Angiodysplasia, 3-20%)
## -Arteriovenous Malformation ★

- 50세 이상에서 소장출혈의 가장 흔한 원인
- 진단 : 대장경 검사 **(가장 민감)**, 혈관 촬영
- 50% 이상이 **우측 결장**에 위치, 출혈도 이곳에서 발생함

  Angiodysplasia와 관련된 Medical condition : ESRD, Aortic stenosis, von Willebrand's disease

## 3. 종양 (20%)

- 출혈이 느리게 일어나며 Occult Bleeding 및 이차적인 빈혈 가능
- Juvenile polyp (20세 이하에서 2번째 bleeding의 원인)

  cf) 20세 이하의 m/c cause : Meckel's diverticulitis

## 4. 염증성질환 (Inflammatory Conditions, 20%)

- 대부분 저절로 멈추거나 원인을 치료하면 멈춘다.
  ① Ulcerative colitis : 15%, Crohn's disease : 15%
  ② Infectious : E.coli, typhoid, CMV, clostridium difficile, Radiation injury

## 5. 혈관질환 (Vascular Causes)

- Vasculitis(Polyarteritis nodosa, Wegener's granulomatosis, RA)
  : associated with punctate ulceration of colon & small bowel
- Acute mesenteric ischemia : Hematochezia 가능

## 6. Hemorrhoid (2%)

- lower GI bleeding의 다른 원인이 있는지 찾아봐야 한다.

# ■ 첫 검사들

• **병력** : NSAIDs, Abdominal pain, Diarrhea, Fever, Aortic surgery, Radiation, Recent colonoscopy, 이전 bleeding 원인, FHx

※ 젊은 환자에선 Meckel's diverticula 및 Intestinal polyps의 가능성을 생각한다.

• **P/Ex** : Orthostatic vital sign, Rectal exam

# ■ 진단

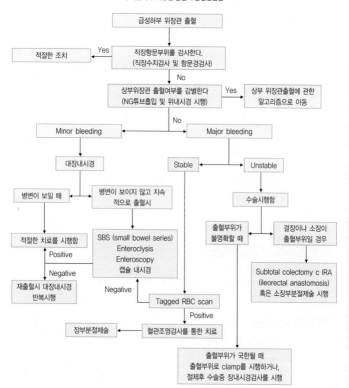

(그림) 하부 위장관 출혈의 감별질환들

---

Point!!

하부위장관 출혈시 먼저 **상부 위장관 출혈이 아님을 감별**하고, 가장 많은 출혈부위(95%)인 대장항문쪽원인을 밝히기 위해 **대장내시경**을 시행한다. 병변이 발견되지 않으면 소장이 출혈가능성이 있으므로 **소장검사들**을 시행한다. 대량출혈일 경우 환자가 비교적 안정적일 경우는 **혈관촬영을 통한 지혈**을 시도하고 불안정시는 **수술적 조치**를 시행한다.

---

## 1. 대장경 검사 ★

• Emergent Colonoscopy : 심하지 않은 LGIB시

※ 심한 LGIB시 Emergent colonoscopy는 적당하지 않다.

　　즉, 대장경 검사는 acute LGIB이 멈추었거나 중등도의 UGIB시 유용. Colonoscopic polypectomy 후에
　　출혈에도 유용

• Urgent Colonoscopy : 지속되는 심한 출혈이 없고 hemodynamic stable한 환자

　(bowel preparation 후 시행)

## 2. Selective Visceral Angiography ★

• 0.5 ml/min 이상 출혈을 찾음 ★

　급성출혈이 있으면 45-75%에서 위치를 알 수 있다.

　(Diverticulosis, Angiodysplasia 등으로 간헐적 출혈시 시술시 이미 출혈이 멈추어 발견하지 못할 수 있다)

　**"상당한 량의 지속적인 출혈"**이 있는 환자에서만 시행

## 3. Technitium-99M RBC Scintigraphy ★

• 0.1 ml/min 출혈도 발견함 ★

　출혈이 있다면 90%에서 위치를 알 수 있다.

• 결국 수술적 치료가 필요한 환자들에겐 Angiography 및 Scinitigraphy로 출혈부위를 알아보아야 한다.

# ■ 치료

## 1. 내시경적 치료

- 게실 출혈은 조절하기 힘듬. Bleeding angiodysplasia : 80% 이상 가능
  Polypectomy 부위의 지혈에 적당함.

## 2. Radionuclide Scanning

- 환자의 혈액을 technetium-99m($^{99m}$Tc) 으로 라벨링하여 경정맥 주입하면 출혈하는 부위로 extravasation 되므로 진단이 가능하다.
- 0.1mL/min의 출혈까지 발견할 수 있으므로 가장 민감한 검사이지만, localization은 40-60%까지밖에 할 수 없는 한계를 지닌다.
- 혈관촬영술을 시행하는 좋은 지침이 될 수 있다.
  (RBC san이 음성이거나 수시간 후에 양성이 경우는 혈관촬영술을 통해 출혈부위를 찾기 힘들다)

## 3. 장간막 혈관촬영술 (Mesenteric Angiography)

- 0.5-1.0 mL/min의 출혈을 찾을 수 있다.
- 가장 큰 장점은 진단과 아울러 **치료**를 할 수 있다는 점이다. 카테터를 통해 vasopressin을 주입하거나 embolization을 통해 지혈을 유도한다. vasopressin의 경우 50%에 이르는 높은 **재출혈율**이 한계이다.
- **동반된 여러 질환으로 수술적 치료가 어려운 환자**들에게 사용될 수 있고 **혈역학적으로 불안정한 환자**에게서 (일시적이나마) 안정화시킬 수 있는 효과가 있다.

# 출혈부위를 알 수 없는 급성 위장관 출혈

• 소장출혈 : 2-5%

양상 : 상당량의 재발성 출혈이 수 주 및 수 개월후 멈추곤 한다.

**(표) 원인을 분명히 알 수 없는 (obscure) 위장관 출혈의 원인**

| 상부 위장관 | 소장 | 결장 |
| --- | --- | --- |
| **혈관형성이상** | **크론씨 병** | **장염** |
| **소화성궤양** | **멕켈씨 게실** | **궤양성 결장염** |
| 대동맥장관루 | **림프종** | **크론씨 결장염** |
| (aortoenteric fistula) | 방사선 장염 | **허혈성 결장염** |
| 종양 | 허혈 | 방사선 결장염 |
| HIV관련 질환 | HIV관련 질환 | 감염성 결장염 |
| Dieulafoy's lesion | 세균성 감염 | 단독 직장 궤양 |
| 림프종 | 전이성 질환 | 아밀로이드증 (amyloidosis) |
| 사코이드증 (sarcoidosis) | 혈관형성이상 | 림프종 |
| 혈액담즙증 (hemobilia) | | 자궁내막증 |
| Hemosuccus pancreaticus | | 혈관형성이상 |
| GAVE (gastric antral vascular ectasia) | | 종양 |
| 전이성 암 | | HIV관련 질환 |
| | | 치핵 |

## ■ 임상양상

• acute LGIB시의 presentation과 비슷하다.

• Emergency upper endoscopy

→ 그 후 Selective visceral angiography or Emergency colonoscopy 시행

(99mTc RBC scan는 controversial)

## ■ 원인을 분명히 알 수 없는 (obscure)위장관 출혈에서의 검사

### 1. Repeated Endoscopy

• upper & lower endoscopy를 반복 하면 최대 35%의 환자에서는 이전 endoscopy에서 놓쳤던 병변을 찾을 수 있다.

• 다시 endoscopy를 하였음에도 불구하고 출혈의 원인을 찾지 못하면 소장 출혈을 의심하여 추가적인 검사를 진행할 수 있다.

## ■ 급성소장 출혈로 의심되는 환자에서의 검사 (안정화된 뒤)

### 1. Enteroclysis

① 소장의 조영검사          ② 급성 소장출혈후의 일차적 검사

③ 단점은 가장 흔한 소장출혈 원인인 angiodysplasia를 찾지 못한다.

### 2. 소장 내시경

: IV valve까지 볼 수 있으나 환자의 순응도가 좋지않아 거의 시행 않음.

### 3. 수술 도중의 내시경

• 70%에서 출혈 부위를 찾을 수 있다. → 제한된 소장절제를 가능하게 함.

### 4. Selective Mesenteric Angiography

• Angiodysplasia를 찾는데 유용하다.

### 5. Meckel's Scans

① Meckel's diverticulum은 ectopic acid-secreting gastric mucosa를 지닌다.

② 젊은 환자에선 Meckel's diverticulum이 많기 때문에 젊은환자의 소장 출혈이 의심될 때의 첫 검사가 된다.

## ■ 원인 및 치료

### 1. Angiodysplasia

① m/c : 소장 출혈의 50-70% (50세 이상), 30-40% (젊은 환자) 우측 결장에 흔하다.

② 치료 : 내시경으로 진단시 Endoscopic sclerotherapy or coagulation 시도하고 실패시 Surgical segmental resection 시도한다.

### 2. Neoplasms

① 소장출혈의 2번째 흔한 원인. 대부분 양성

② 진단 : Enteroclysis or CT로 진단하고 절제술을 시행한다.

### 3. Meckel's Diverticulum

① IC valve에서 100cm 이내에 위치

② 30세 이하에서 소장출혈의 가장 흔한 원인 ★

③ 출혈량이 상당하기 때문에, 급성출혈하는 젊은 환자에서 위내시경소견상 특이소견 없으며 혈역학적으로 불안정할 때 즉시 시험개복술을 시행한다.

④ Meckel's scan이 60%에서 양성소견

## 14 비만
*Morbid Obesity*

## 병적 비만 (Morbid Obesity)

### 1. 비만의 정의

1) 한국
- 과체중(overweight) : BMI(Body mass index)가 23kg/m² 이상일 경우
- 비만(obesity) : BMI가 25kg/m² 이상인 경우

2) WHO(world health organization)
- 과체중(overweight) : BMI가 25kg/m² 이상일 경우
- 비만(obesity) : BMI가 30kg/m² 이상인 경우
- 병적비만(Morbid Obesity): BMI가 40kg/m² 이상인 경우

### 2. 비만과 관련된 생리적 변화

① CCK (Cholecystokinin) : 십이지장 및 소장의 근위부에서 분비되고 **"포만감"**을 일으킨다.
② 그렐린 (Ghrelin) : 음식섭취시(특히 저열량 식이) 위의 근위부(fundus)에서 분비되고 **"식욕을 촉진"**한다
   즉, 식사량이 적지만 위(stomach)로의 식사 유입물이 있는 환자는 그렐린치가 정상이거나 정상보다 약
   간 높지만, 위우회술(gastric bypass)수술을 받은 환자는 수술 후 낮은 그렐린치를 지닌다.

### 3. 심한 비만과 관련된 질환들 ★

| | | | |
|---|---|---|---|
| 1) 심혈관계<br>**고혈압**<br>DVT<br>우측 심부전<br>2) 호흡기계<br>Obstructive sleep apnea<br>**천식**<br>3) 대사성<br>**2형 당뇨** | **지방장애**<br>(고지방혈증, 고콜레스<br>테롤혈증, 고중성지방<br>혈증)<br>지방간<br>4) 위장관<br>GERD<br>(Gastroesophageal reflux<br>disease) | 담석증<br>5) 근골격계<br>**퇴행성 관절염**<br>골관절염<br>6) 비뇨기계<br>**스트레스성 요실금**<br>신기능부전 | 7) 부인과적<br>**월경불순**<br>8) 종양학적<br>**자궁암, 유방암, 신장암 및**<br>**전립선암**<br>9) 신경정신적<br>**우울증** |

## 4. 약물치료

① 치료목표

• 1달 동안 10%의 체중감량이 목표임 (0.5-2 lb/wk)

• 이러한 체중감량이 6개월동안 지속되면 초기치료성공으로 간주한다.

② 매우 낮은 열량의 식이:

지방 제한식이와 탄수화물 제한식이 두종류가 있다.

③ 약제

a. Sibutramine :

NE(Norepinephrine)과 세로토닌의 presynaptic receptor uptake를 차단하여 NE 및 세로토닌에 의한 중추 신경계에서의 식욕부진효과를 증진시킨다.

b. Orlistat :

췌장에서의 lipase 분비를 차단하여, 지방 흡수를 30%까지 감소시킨다.

## 5. 수술적 치료

### 1. 수술 적응증

1. BMI가 40 kg/m²이상일 때

2. BMI가 35 kg/m²이상이며 연관된 내과적 질환이 있는 경우

3. 먼저 내과적 치료를 해야 하며 내과적 치료에 실패한 경우

### 2. 수술방법의 구분 ★★

| | |
|---|---|
| ① "식이 제한수술" (Restrictive) | • VGB (Vertical banded gastroplasty)<br>  : 현재는 거의 쓰이지 않음<br>• LAGB (Laparoscopic adjustable gastric banding) |
| ② 주로 "식이를 제한" 하지만 소화불량도 일으키는 경우<br>(Largely Restrictive/Mild Malabsorptive) | • RYGB (Roux-en-Y gastric bypass) |
| ③ 주로 "소화불량" 을 일으키지만 식이제한효과도 있는 경우<br>(Largely Malabsorptive/Mildly Restrictive) | • BPD (Biliopancreatic diversion)<br>• DS (Duodenal switch) |

▶ 추가노트

☞ 이러한 절대적 수술적응증 외에도 아래의 기본적인 요건들이 충족되어야 한다.
1) 정신적으로 안정적이어야 함. 즉 술이나 약물 의존성이 아니어야 함
2) 환자자신이 수술을 받고자 하는 의지가 있어야 함
3) 수술위험인자가 없어야 함

# ■ 병적 비만의 수술방법

## 1. AGB (Adjustable Gastric Banding)

### 1. 수술방법

AGB를 아래 그림과 같이 위(stomach)에 설치하여 **"식이를 제한"** 하는 방법으로 요즈음은 주로 복강경으로 수술한다.

**(그림) 오른쪽 그림은 LAP-BAND이며 왼쪽그림은 수술시행후의 그림이다.**

그림에서 port는 배 바깥에 있어서 saline을 주입하여 banding압력을 높여서 수술 후 원하는 체중감량을 유발한다.

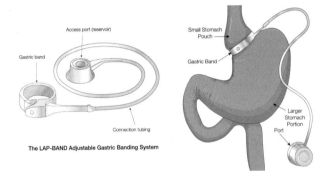

The LAP-BAND Adjustable Gastric Banding System

### 2. 장단점

| 장점 | 단점 |
|------|------|
| • 수술이 쉽고, 해부학적 구조 변화를 유발하지 않으므로 **대사성 문제를 유발하지 않는다** | • 여러 수술방법 중 체중감량 **효과가 가장 낮다.**<br><br>[합병증]<br>밴드가 미끄러져서(slippage) 음식물 통과를 막거나, erosion될 수도 있고, 외부에 설치된 port로 인한 여러 문제들이 발생할 수 있다. |

## 2. RYGB (Roux-en-Y gastric bypass) 【15】

### 1. 수술방법

아래 그림과 같이 위(stomach)의 일부만을 남기고 우회함으로써 **"식이제한(restrictive)효과"** 가 크며, 공장-공장문합을 통해 소화불량도 일으킨다.

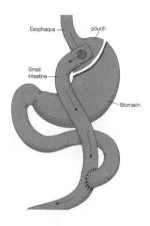

### 2. 장단점

| 장점 | 단점 |
|---|---|
| • 비교적 체중감량 효과가 큰 편이다. | [합병증]<br>문합부 누출, 장폐색, 위공장문합부위의 협착,<br>변연 궤양(marginal ulcer), 탈수, 빠른 음식물 통과<br>(dumping)<br>철 및 비타민 B12흡수장애 |

추가노트

☞ 철은 주로 십이지장 및 공장 원위부에서 흡수되는데 이 부분이 우회되기 때문에 RYGB후에 결핍되므로 보충해야
한다. 비타민 B12는 위(stomach)에서 분비되는 intrinsic factor와 합쳐져서 소장에서 흡수되는데 intrinsic factor와
나중에 결합하므로 소장에서 충분히 흡수되지 못하므로 결핍될 수 있다.

## 3. BPD (Biliopancreatic diversion)

### 1. 수술방법

biliopancreatic juice가 생리적으로 음식물과 혼합되지 않도록 우회시켜 "소화불량"을 일으키는 것이 주된
체중감량기전이고, 위부분절제로 식이제한도 일으킨다.

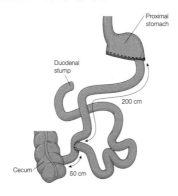

Alimentary channel = 250 (±50) cm
Common channel = 50 cm

### 2. 장단점

| 장점 | 단점 |
|---|---|
| • **체중감량 효과가 가장 크다**<br>• 비만으로 유발된 내과적 질환들에 대한 치료효과도 가장 크다. | • 부작용, 수술후 이환율(morbidity)및 사망률이 비만수술 중 가장 높다.<br><br>[합병증]<br>• RYGB와 유사한 수술관련 합병증을 지니며<br>• BPD는 소화불량을 유발하는 수술인만큼 아래와 같은 **"소화관련 합병증"** 들이 많다.<br>  ① 단백질 소화불량<br>    – 가장 심각한 합병증으로 호전이 없는 경우 재수술해서 common channel을 늘린다.<br>  ② 지용성단백질의 흡수장애<br>  ③ thiamine결핍으로인한 Wernicke씨 뇌증<br>  ④ 대변에서 좋지 않은 냄새가 나며 가스팽만(flatulence) |

## 4. DS (Duodenal switch)

### 1. 수술방법

BPD의 **변형**된 수술방법으로 BPD에서 보이는 **높은 변연궤양(marginal ulcer) 빈도를 낮추기** 위해 고안되었다. 즉 아래그림과 같이 sleeve gastrectomy를 시행한다.

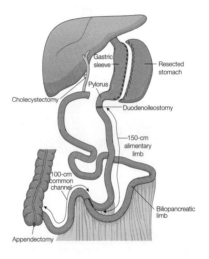

# 15 위

*Stomach*

## 위의 해부

### ■ 위의 구분

• 위의 각 부위 명칭

| ① 위분문 (cardia) | 식도와 연결됨 |
|---|---|
| ② 위저부 (fundus) | 산분비 및 (음식물)저장 부위 |
| ③ 위체부 (body:corpus) | 위의 가장 큰 영역임 |
| ④ 위전정부 (antrum) | 운동성의 중심부위 (motility center)및 내분비기관 |
| ⑤ 위유문부 (pylorus) | 십이지장과 연결됨 |

• 경계물

① Insura angularis

- LC (소만)의 원위부 2/3에 위치한다.

  위를 오른쪽와 왼쪽으로 구분하며, oxyntic & antral mucosa의 경계와 인접한다.

② Angle of His

- 식도의 왼쪽 끝나는 부위 및 위저부가 시작되는 부위이다.

※ GC (대만)는 LC (소만)보다 4배 더 길다.

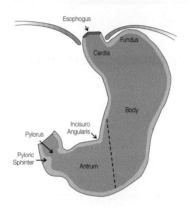

(그림) 위의 해부학적 구분

## ■ 위의 현미경적 구조

1. 위의 표면은 surface epithelial cells로 덮여있고, 군데군데 함몰된 부위가 gastric pit에 해당되는데, 이곳으로 평균 4-5개의 위샘이 개구한다.

2. 부위에 따른 위샘

| ① Cardiac gland | • mucous, endocrine 및 undifferentiated cells을 지닌다. |
|---|---|
| ② Fundic glands (oxyntic gland) | • 위의 산분비 영역인 위저부 및 위체부를 구성하는 주된 샘이다.<br>• 위산, pepsin, intrinsic factor등을 분비하고 구성하고 있는 가장 주된 세포는 **벽세포 (parietal cell)**이다. 가장 기저부에 있는 세포가 주세포 (chief cell)이다. |
| ③ Pyloric gland | • endocrine, mucous 및 parietal cells로 구성된다.<br>• 적은 수이지만 G세포 (gastrin분비세포)가 존재한다. |

(그림) Oxyntic gland의 구조

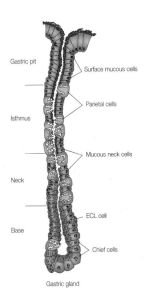

Gastric gland

## ■ 위의 혈관

### 1. 동맥 【16】

- 혈액공급이 매우 풍부한 편이다.
  → 이는 한편 출혈 시 gastric a.의 ligation만으로 충분히 조절되지 못함을 의미하기도 한다.

① 소만쪽

- 윗쪽 : Lt. gastric a.가 혈액공급함.
- 아랫쪽 : ① Rt. gastric a. ② Hepatic a.의 분지 혹은 ③ GastroDuodenal a.
  분지가 혈액공급한다.

② 대만쪽

- 위쪽 (및 위저부) : Short gastric a.가 혈액공급

• 아래쪽

: 상부는 Lt. gastroepiploic a., Splenic a.의 분지에 의해

하부는 Rt. gastroepiploic a., Gastroduodenal a.의 분지에 의해 혈액공급

(그림) 위로의 동맥공급

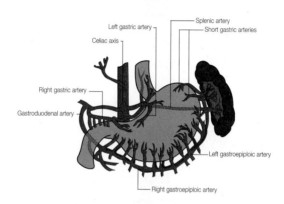

## 2. 정맥 ★ 【17】

• 정맥유입은 동맥주행과 평행하며, Portal v. 및 이의 분지, splenic v. 혹은 SMV로 drainage시킨다.

① Lt. & Rt. gastric vein은 LC(Lesser curvature)를 drainage한다.
└ Coronary vein이라고도 함

② Rt. & Lt. gastroepiploic vein은 위의 아래쪽과 GC(greater curvature)를 drainage한다..

- Rt. gastroepiploic vein과 그 분지들이 gastrocolic vein이 되며 궁극적으로 SMV쪽으로 drainage된다.

- Lt. gastroepiploic vein은 splenic vein으로 연결되는데, 이는 short gastric vein의 drainage도 받으며,
위저부와 upper GC의drainage를 주로 담당한다.

## 3. 신경지배

① 부교감 신경

• Rt & Lt vagus n.부터 시작함

- "Lt, vagus trunk"는 보통 식도의 **앞쪽**면에 붙어있게 되고,

   "Rt, vagus trunk"는 **식도와 Aorta의 중앙 부위**에 위치한다.
- 이들은 Distal esophageal plexus를 형성한뒤 Rt & Lt vagus n,를 낸다.

| Lt or Ant, Vagus n, | Rt, or Post, Vagus n, |
|---|---|
| • 간으로의 분지를 낸 뒤 소만을 따라서<br>  주행하는 Ant, n, of Latarjet이 된다. | • **첫째 분지**가 criminal n, of Grassi로서, **궤양수술 시**<br>  **절제하지 않으면 궤양의 재발 위험**이 높다.<br>• 그후 celiac plexus에도 분지를 내고,<br>  위뒤쪽으로 가서 소만을 따라서 주행한다. |

- 대부분 vagal fb,는 구심성으로 장에서 뇌로 정보를 전달하고, 연수에서 기시한 원심성섬유는 acetylcholine을 통해 매개되어, **위의 운동기능 및 위산분비**에 관여한다.

(그림) Vagus n,의 경로

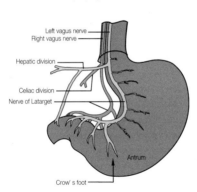

Left vagus nerve
Right vagus nerve
Hepatic division
Celiac division
Nerve of Latarget
Antrum
Crow's foot

② 교감신경

- T5-T10에서 기시하여 splanchnic n,를 통해서 celiac ganglion에서 synapse한다. 그 후 동맥의 주행을 따라 위에 도달하여 신경지배한다.

## 위의 생리

### ■ 운동성 & 위배출

#### 1. 위의 electrical pacemaker

• 위치 : GC의 중앙 부위에 있다.

• 작용 : 분당 3회의 주기적인 potential을 발생시킴.

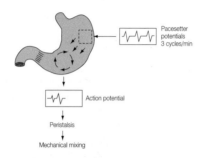

#### 2. 금식시기

• MMC (Myoelectric Migrating complex) 발생함.

각각의 MMC는 90-120분에 1회씩 발생하며, 4단계의 파형으로 구성된다.

• 위내용물을 규칙적으로 청소하는 효과를 지님.

#### 3. 식후의 운동성

• Receptive relexation

- 식후 위근위부 및 위저부의 휴식기 tone이 감소하게 된다.

- "vagus n."가 관여한다. 따라서 vagotomy시엔 early satiety가 나타난다.

• **전정부 중앙 부위**부터 반복적인 강한 수축이 이루어져서 유문부가 닫힌 상황에서 음식물의 혼합 및 분쇄가 이루어지게 된다. 이는 음식물이 십이지장으로 넘어갔을 때, **십이지장내의 단백질 및 고삼투압성물질**에 반응하여 "CCK" (cholecystokinin)이 분비되어, 위배출을 feed- back inhibition시키게 된다.

# ■ 위산 분비

## 1. 위산 분비

• 위산분비는 기초위산분비 및 자극위산분비가 있다.

기초위산분비는 최대위산분비 (MAO:Maximal acid out)의 10% 가량에

해당되며, <u>cholinergic & histaminergic input</u>의 영향을 받는다.

└─ 즉, vagus n.영향

자극 위산분비는 아래의 3상으로 구분된다.

| | |
|---|---|
| ① 뇌상<br>(Cephalic phase) | • 20~30% 차지<br>• 음식물을 보거나 냄새를 맡거나 생각할 때의 자극은<br>  Vagus n.를 통하여(**Ach**관여:cholinergic) 전달되어<br>  위벽세포의 위산분비가 이루어진다. |
| ② 위상<br>(Gastric Phase)<br>가장 중요! | • 60~70% 비중<br>• (자극원) 위내의 단백질 및 아미노산 & 위의 팽창<br>  → Gastrin 분비 → 위산분비 촉진 |
| ③ 장상<br>(Intestinal Phase) | • 10%<br>• 소장으로 유입된 chyme에 반응하여<br>  소장점막에서 분비되는 entero-exyntin이 관여하는 것을 생각됨 |

※ Gastrin

- 위산분비의 위상을 매개하는 주요 물질일 뿐 아니라, 위점막보호 및 벽세포, ECL세포의 성장에도 관여한다.

- **위산비비억제제를 투여**시 Hypergastrinemia가 발생하는데 이는 위산에 의한 gastrin의 feedback inhibition 이 억제되었기 때문이다. 이외에도 **악성빈혈, 요독증, 위절제술 후 및 Gastrinoma시**에 hypergastrinema가 발생할 수 있다.

## 2. 위산분비와 관련된 수용체들 ★

| 수용체 | Second messenger | 결합 |
|---|---|---|
| ① CCK-B 수용체 | Ca | Gcell이 분비하는 Gastrin이 결합함. |
| ② M3 수용체 | Ca | Vagus n.가 분비한 Ach이 결합 |
| ③ H2 수용체 | cAMP | ECL cell이 분비한 Histamine이 결합한다. |
| ④ Somatostatin 수용체 | cAMP | 벽세포에서의 위산분비를 **억제**한다. |

(그림) 산분비에 관련된 호르몬 및 수용체

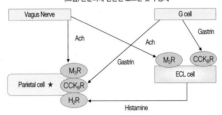

## 3. 위산분비 억제작용

| | |
|---|---|
| ① 뇌상 (Cephalic Inhibition) | • vagus n.는 위산과 gastrin, pepsin의 분비<br>  증가/억제 모두에 관여<br>• **실제로 vagotomy 환자 → hypergastrinemia 상태임**<br>∵ Antrum에서의 vagal fb는 gastrin 분비에 억제기능 가짐 |
| ② 위상 (Gastric Inhibition) | • antral mucosa이 산에 노출되었을 때<br>  → gastrin 분비 저하 (pH2 이하 시 완전 stop)<br>• 위전정부 팽창 → 위산 분비 저하 |
| ③ 장상 (Intestinal Inhibition) | • 십이지장의 산성화, 고삼투성물질, 지방 존재<br>  — (by secretin, somatostatin···) → 산분비저하<br><br>cf) **십이지장에,**<br>  **지방 존재 → 산분비 저하**<br>  **단백질 존재 → 위배출 억제** |

※ Gastric acid secretion을 다시 정리합니다.

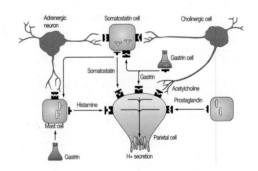

## ■ 다른 위 분비물

### 1. Pepsinogen 분비

① chief cell에서 Pepsinogen 형태로 분비

      ↓ by acid

   pepsin으로 전환됨

② Pepsin의 주된기능은 **단백질 소화를 시작**하는 것이다.

이러한 위내에서의 단백질 가수분해는 **불완전**하여, 위 및 소장으로 large peptide가 들어가게 되는데, 이것이 위에서 gastrin을, 십이지장 CCK의 분비를 촉진시킨다.

③ Vagus n.가 주된 분비자극이다.

### 2. Mucus 및 Bicarbonate 분비  ← surface cell에서 분비

① 모두 위점막표면에서 위산을 중화시켜 산에 의한 점막손상을 막는다.

② 위점액분비를 증가시키는 것

   : 미주신경자극 (콜린성), prostaglandin

   ∴ 항콜린성약제 및 NSAIDs는 점액분비를 막는다.

### 3. 내인인자 (Intrinsic Factor) 분비

① **벽세포**에서 분비되는 glycoprotein으로 Vit $B_{12}$가 terminal ileum에서 흡수되는데 필요함.

Intrinsic factor의 분비는 위산의 분비와 연관되어 있음.

② **악성빈혈 (Pernicious anemia)** 및 **위전절제술** 후 내인인자결핍이 발생하므로 경정맥 Vitamine B12 보충해야 한다.

# ◆ 소화성 궤양 질환 (PEPTIC ULCER DISEASE)

## ■ 역학

### 1. H. Pylori

대부분의 Ulcer 환자들은 H. pylori 감염을 지니고 이 감염에 대한 치료는 Ulcer 재발을 막는다. 94%의 DU 환자와 84%의 GU 환자는 H. pylori 감염을 동반한다.

### 2. 위산

Acid의 존재만으로 Ulcer disease가 생기지는 않지만, Acid가 없는 곳에 Ulcer가 생기지도 않는다. 즉, 고전적인, No acid, No ulcer라는 말은 여전히 진리이다.

GU의 경우 낮은 acid 농도에서 더 흔히 생기는 것으로 보아 acid및 healing에 대한 defective mucosal defense가 중요한 역할을 하는 것으로 생각된다.

### 3. NSAIDs

궤양으로 인한 출혈과 연관되며, NSAIDs로 속발한 궤양질환의 경우, 일차적 치료는 위산에 대한 어떠한 조치없이 NSAIDs를 끊는 것이다.

## ■ 궤양의 위치 및 유형

**(표) 소화성 궤양의 유형에 따른 차이 ★**

| Type I | • m/c (60-70%)<br>• LC 쪽, Incisura 근위부에 위치함<br>즉, fundic & antral mucosa의 경계 부위임 | 위산과다 분비<br>X |
|---|---|---|
| Type II | • 15%<br>• typeI와 같은위치이지만<br>**심이지장궤양과 연관**됨. | 위산과다 분비<br>O |
| Type III | • 20%빈도<br>• pylorus의 2cm내에 위치함. | 위산과다 분비<br>O |
| Type IV | • 위의 근위부 혹은 cardia쪽에 위치함. | 위산과다 분비<br>X |
| Type V | • medication induced(NSAIDs, aspirin)<br>• 위의 어디든 생길 수 있음. | 위산과다 분비<br>X |

(그림) 소화성 궤양의 유형

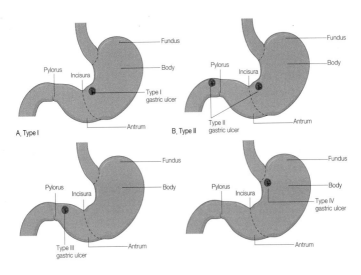

A. Type I

B. Type II

C. Type III

D. Type IV

■ 병인

• 산에 대한 방어결핍 및 점막치유손상과 관련됨.

• 일반적으로 십이지장궤양은 위산의 증가로 인한 공격의 우세, 위궤양은 점막의 방어의 열세로 이해될 수 있다.

• Gastric mucosal defense mechanism (아래의 **4 lines의 defense★**를 지닌다)

---

① **Mucus & Bicarbonate** 분비: $H^+$와 Pepsin diffusion 억제

② 내피세포 (Intrinsic epithelial cell) 방어 : Mucosal surface is a barrier to acid back-diffusion

③ 풍부한 점막의 **혈액 흐름**

④ **점막**자체의 손상치유 능력

---

## 1. H pylori 감염

- H. pylori균은......

  a. 그람음성간균으로 나선모양이며, 활발한 운동성을 지니며, 천천히 성장한다.

  b. **Urease 분비** → Urea를 ammonia와 bicarbonate로 전환시켜 **알칼리** 환경을 만든다.

  c. 위의 점액층내 혹은 그 아래 존재한다.

- 위장관 손상을 일으키는 기전

  a. 독성물질을 생성하여 국소조직손상을 일으킴.

  b. 국소 점막 면역반응을 일으킴.

  c. gastrin을 증가시켜 결과적으로 위산분비를 증가시킴.

- H. Pylori가 **십이지장** 및 **위궤양**의 원인이 된다는 증거

  → **대부분의 궤양환자에서 발견되고, H. Pylori 감염을 치료하면 궤양도 치료된다.**

  ※ 그러나 H. Pylori에 감염되어도 소화성 궤양이 있는 경우는 15%로 이는 점막의 방어복구기전 장애 때문으로 생각됨.

## 2. NSAIDs

- **위장관 출혈**로 입원하는 경우의 대부분의 원인이 NSAIDs 사용과 관련됨.

  위장관 출혈은 복용 1-2주후에 나타나며, 용량에 비례한다.

- NSAIDs궤양 vs H. pylori 궤양 비교

| NSAIDs 궤양 | H. pylori궤양 |
|---|---|
| • 주로 **위궤양**임 (십이지장궤양의 2배) | • 주로 **십이지장 궤양**임 |
| • 위염은 흔치 않다(25%). | • 보통 Chronic active gastritis **동반**한다. |
| • 보통 **무증상** | • **소화불량 증상** |
| • NSAIDs 끊으면 궤양은 재발하지 않는다. | • H. pylori박멸하지 않으면 1년내에 50-80% 재발한다. |

## 3. 위산

- 십이지장궤양에서는 위산과다가 동반되지만 type 1, 4 위궤양에선 위산과다가 나타나지 않는다.

  하지만 이경우에도 위산은 중요한 보조인자로 작용하여 위궤양을 악화시키거나 치유를 지연시킬 수 있다.

# ■임상 양상

## 1. 십이지장 궤양

### ① 복통
- 상복부 동통이 음식물을 먹으면 완화됨.
- 통증이 지속적으로 나타나면, 궤양이 깊이 침습되었음을 의미하며 등에 방사통이 나타날 경우, 췌장으로 침습했을 가능성이 있다.

### ② 천공 – 5%에서. 응급상황

### ③ 출혈
- 상부위장관 출혈 환자의 25%에 해당하며 궤양이 gastroduodenal a.로 침투했을 경우 발생한다.

### ④ 폐색
- 오랜 구토로 탈수 및 hypochloremic hypokalemic metabolic alkalosis가 나타날 수 있다.

## 2. 위궤양

- 복통은 음식을 먹었을 때 분비자극으로 발생할 수 있다.
- 출혈은 35-40%에서 나타나는데 십이지장궤양출혈보다 경과가 좋지 않다.
- 가장 흔한 합병증은 **천공**으로 대부분 소만 부위의 앞쪽면에 발생한다.
- 우리나라 같이 위암이 많은 곳에서는 benign ulcer인지, malignancy가 있는지를 꼭 감별해야 한다.

## 3. Zollinger-Ellison syndrome

### ① triad
　i) 위산과다분비 ii) **심한 소화성궤양** iii) non-beta islet cell of pancreas

### ② gastrin을 과다분비하므로 gastrinoma라고도 한다.
　발생부위는 췌장두부, 십이지장벽 및 국소림프절임
　절반가량이 다발성이며, 2/3가 악성이며, 1/4에서 **MEN1**과 관련된다.
parathyroid, pituitary 및 pancreas 종양

### ③ 증상 : 설사, 체중감소 및 지방변

### ④ 진단
- 난치성 혹은 재발성 궤양환자에서 가능성을 생각한다.
- secretin test (provocative test)

### ⑤ 치료
- 단독병변시 수술적 절제를 생각할 수 있다.
- 종양 및 전이소견이 없다면 PPIs혹은 H2blocker를 사용한다.

# ■진단

## 1. H. Pylori 검사 ★

① **점막생검 & 조직검사** "gold standard"

→ "배양검사" (least sensitive)나
Rapid urease test 를 할 수도 있다.

항생제 저항성이나 감수성 검사에는 도움이 됨.

② **점막생검이 필요하지 않은 검사**

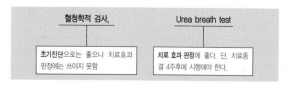

| 혈청학적 검사, | Urea breath test |
|---|---|
| **초기진단**으로는 좋으나 치료효과 판정에는 쓰이지 못함 | **치료 효과 판정**에 좋다. 단, 치료종 결 4주후에 시행해야 한다. |

(그림) 각 테스트의 적용

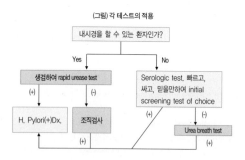

※ GU는 반드시 악성종양을 감별하기 위해 조직검사를 한다.

## 2. 상부위장관 조영검사

• 궤양의 위치와 깊이에 대한 정보를 준다.
**크기가 클수록 악성위험이 높다.**

### 3. 위내시경

- 악성을 시사하는 소견
  - 종괴가 관찰될 때
  - **folds가 곤봉모양**이거나 **융합**되거나 **궤양주변으로 단락**될 때
- 반드시 악성을 감별하기 위해 **여러군데 조직생검**을 해야 한다.

## ■ 내과적 치료

- 일반적인 지침
  - 흡연, 음주, <u>NSAIDs</u>, aspirin, 커피를 줄인다.
    └ 끊지 못하는 상황에서는 COX-2 억제제로 대치한다.

- 치료방침
  a. 분비된 산을 중성화함: antiacid (미란타, 알마겔…)
  b. 산분비를 억제함.

      $H_2$ receptor blocker: famotidine, cimetidine…
      $H^+$ pump inhibitor: omeprazole

  c. coating agent: sucralfate

- 내과적 치료를 4주 받은 뒤, Ulcer가 50% 감소시는 양성질환가능성이 높지만, 그러나 50% 이하시는 악성종양가능성을 생각한다.
  8주 후 완전 치유되지 않으면 **악성종양을 감별**하기 위해 내시경을 해야 한다. ★★

### 1. 제산제 ( Antiacids)

- HCl과 결합 → 염 및 수분을 형성하여 산도를 낮춘다.
- **Magnesium (미란타)**: 설사 유발
- **Aluminum (알마겔)**: hypophosphatemia, **변비** 유발

### 2. H2수용체차단제 (H2 Receptor Blocker)

(Famotidine, Ranitidine, Cimetidine)
   └ 가장 강력    └ 가장 약함

- 4주후 70~80% 치유됨. 8주 후 80~90% 치유됨.
- 간혈적 투여보다는 **경정맥을 통한 지속적 투여**가 더 효과적이다.

### 3. 양성자 펌프 차단제(PPI ; Proton-Pump Inhibitor (Omeprazole)

- proton pump에 공유결합하여 새로운 proton pump가 생성될 때까지 **반항구적으로** 위산분비를 차단한다.
- **4주까지가 효과가 좋고 그 이후엔 효과가 떨어진다.**
- 적절하게 작용하기 위해선 산성환경이 필요하므로 **H2수용체차단제와 복합 복용하면 효과가 떨어진다.** → 단독투여하라!

### 4. 도포제 (Sucralfate) : 6시간 동안 coating하여 보호한다

### 5. H. Pylori 감염의 치료 【17】

- (필요성)

  십이지장 궤양의 경우, 치유후 다른 유지요법을 하지 않았을 때 재발율이 72%

  H2 Blocker를 사용한경우 25%, H. pylori박멸한 경우 2%이다.

- (Triple therapy regimen)

---

→ 1-2주 PPI + clarithromycin + amoxicillin (or metronidazole)
※ 급성질환인 경우 그다음 2주동안 PPI를 사용하거나, 4-6주간 H2blocker 사용함.

---

→ 치료효과 판정은 **약끊고나서 4주 후** 검사

무슨검사죠? 당연히 Urea breath test겠죠?

## ■ 수술적 치료

· 소화성 궤양의 수술 적응증

| ① 난치성 | ② 출혈 |
|---|---|
| ③ 천공 | ④ 폐색 |

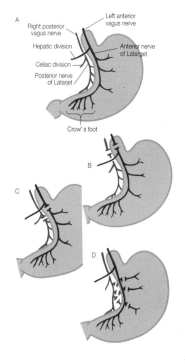

A. Vagus n.의 각분지들, 각각 Rt, Lt. 중 어느 쪽에서 나오는지 어느 부분을 다스리는지를 기억하자.

B. Truncal Vagotomy

C. Selective Vagotomy

D. Highly selective Vagotomy

## 1. Truncal Vagotomy & Drainage Procedures

Pyloroplasty or GastroJejunostomy
to facilitate Gastric emptying

• Vagus n.는 celiac & hepatic br. 위쪽인 GE junction바로 위에서 절제한다.

• Pyloroplasty는 일반적으로 Heineke-Mikulicz의 방법을 이용한다.

• 수술이 **쉽고 빠르게 시행**될 수 있으므로 궤양출혈로 **혈역학적으로 불안정**한 환자에게 적합하다.

(그림) Heineke-Mikulcz Pyloroplasty

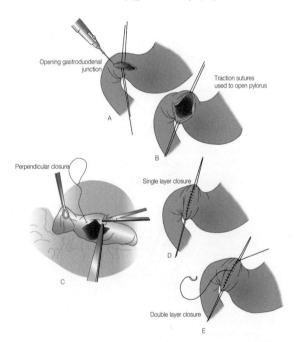

## 2. Highly Selective Vagotomy

(= Parietal Cell Vagotomy = Proximal Gastric Vagotomy)

• TV c drainage 술식이 pyloroantral mechanism에 악영향을 끼쳐 도입됨

  즉, vagus n.는 **산분비** 외에도 **위의 운동성**에도 관여하는데 vagus n. trunk를 절제하면 위의 운동성까지 감소하므로 pyloroantral region으로의 vagus n.를 보존하자는 술식

• 앞쪽 뒤쪽의 nerve of Latarget을 identification한 뒤 위저부 및 위체부로의 말단분지(crow's feet)만을 절제하고 위전정부 및 유문부로의 분지는 보존한다.

  (유문부상방 7cm~GE juction으로부터 5cm까지 절제)

  단, 중요한 것은 post. vagus n.의 첫분지인 criminal n. of Grassi를 반드시 절제해야 한다는 점이다.

• 위산을 분비하는 벽세포의 기능만을 없앰으로써 Vagus n.의 다른 중요한 기능을 보존할 수 있는 장점이 있다. 그러나…★

  재발율은 10~15%로 높다. 그럼에도 재발시 H₂- blocker에 반응이 좋아 acceptable 하다.

• prepyloric ulcer인 경우는 재발이 높으므로 본 술식을 이용하지 않는다.

## 3. Truncal Vagotomy & Antrectomy

• 산분비를 줄이고, 재발을 방지하는데 다른 방법들보다 효과적이다.

  재발율: 0~2% 그러나 postgastrectomy & postvagotomy sequelae가 많다(20%)

## 4. 위아전절제술 (Subtotal Gastrectomy)

• 적응증

  악성질환이거나 TV c antrectomy후 재발시 시행한다.

• 위절제 후 문합은 BII 혹은 Roux-en-Y를 이용한다.

※ (정리) 상황에 따른 수술방법의 결정 ★★

> a. 응급수술시: TV c Pyloroplasty
>
> b. 예정수술시: Highly selective vagotomy
>
> c. Prepyloric ulcer 및 난치성궤양: TV c Antrectomy

━━━▶ 추가노트 ·········

☞ 전정부절제후 문합에서, GastroDuodenostomy(BI)가 GastroJejunostomy(BII)보다 선호되는 이유

  a. Retained antrum syndrome이 없다.

  b. duodenal stump leakage가 없다.

  c. A-loop syndrome이 없다.

※ 단, 과다한 pyloduodenal inflammation시는 BI보다는 BII가 더 적합하다.

※ BII시행시 결장뒤쪽문합(Retrocolic Fashion)이 좋다.

  └─ A-loop이 짧아지고, twisting할 염려도 줄어서

     A-loop syndrome이나 duodenal stump leakage빈도 감소

### 5. 복강경수술

- Taylor 술식 : 복강경을 이용하여 parietal cell vagotomy, posterior truncal vagotomy 및 seromyotomy를 시행한다.
- Simple perforation의 복구수술도 복강경으로 가능하다.

## ▨ 소화성 궤양 합병증의 수술

- 예정수술하기 3일전 antisecretory agents 복용을 중단하여 위산도가 정상으로 돌아오도록 하여 감염합병증의 빈도를 낮춘다.

### ■ 난치성 (Intractability)

| 난치성 십이지장 궤양 | 난치성 위궤양 |
|---|---|
| • Highly selective vagotomy<br>(= Parietal cell vagotomy)<br>혹은 Talor 술식 | ① type 1<br>  - DG (Distal gastrectomy ) + BI재건<br>② type 2 or 3<br>  - DG c vagotomy<br>        (selective or truncal)<br>③ type 4<br>  - DG c 궤양절제<br>    c ReY EsophagoJejunostomy |

✎ 추가노트

cf) Taylor 술식
  복강경으로 post. truncal vagotomy를 시행한 뒤, endoscopic GI stapler를 이용하여 위의 앞면을 가로질러 seromyotomy를 시행하여 이 부위의 모든 vagus n.를 절제함.

# ■ 출혈

| 십이지장 궤양 출혈 | 위궤양 출혈 |
|---|---|
| ① 보통 내시경적으로 지혈후<br>PPI를 사용하고, H. pylori박멸한다.<br>② 내과적 치료 실패시, 십이지장을 열고,<br>U stitch로 출혈 부분 봉합 후,<br>trucal vagotomy c pyloroplasty 시행한다. | ① type 1 : DG c B1 재건<br><br>② type 2 or 3 : DG c vagotomy |

# ■ 천공 【16】

| 십이지장 궤양 천공 | 위궤양 천공 |
|---|---|
| ① Simple patching후<br>H. pylori박멸 시행<br>단, H. pylori음성인 환자의 경우는<br>수술시 acid–reducing procedure도 시행한다.<br>(예컨대 truncal vagotomy c pyloroplasty)<br><br>② 비수술적 방법<br>　– H. pylori 치료 및 위산분비억제<br>　– (적응)<br>　i) 혈역학적으로 안정적이며<br>　ii) toxicity의 징후가 없을 때<br>　　– 상부위장관조영검사로 병변이 sealing되었음이<br>　　　확인되면 비수술적 요법을 고려할 수 있다. | ① type 1<br>　– DG c B1재건이 좋다.<br>　– simple patching을 할 수도 있으며<br>　　이 경우 반드시 Bx해서 악성감별해야 한다.<br><br>② type 2 or 3<br>　– patchy closure 후 H. pylori를 박멸한다. |

(그림) 십이지장궤양천공의 수술: Simple patching
(보통 omentum으로 보강한 Graham patch이용)

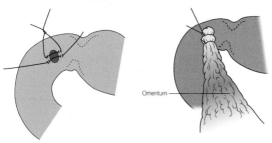

Omentum

### ■ 폐색 【17】

① 급성시

- pyloric edema & spasm와 연관된 경우

  **일주간의 Nasogastric suction & H2-receptor antagonist으로** 호전된다.

  어떤 경우는 Endoscopic dilatation이 필요하기도 함.

② 만성시

- 수술하는 경우는 Higly selective vagotomy c GastroJejunostomy가 선호됨.

### ■ TYPE 4 위궤양

- 가급적 **궤양**을 절제하도록 한다.

  → i) gastrectomy c 궤양절제 c Roux-en-Y EsophagoJejunostomy

  ii) 궤양이 GE junction에서 2-5cm내에 위치하면 궤양을 포함하도록 DG를 시행한 뒤 GastroJejunostomy
  를 시행한다.

### 1. 위절제 후의 증후군

- 수술 후 대략 25% 환자가 위절제후증후군 (postgastrectomy syndrome)을 경험한다(단, highly selective
  vagotomy 시행한 환자에서의 발생빈도는 매우 낮다).

### ■ 위절제후의 Postgastrectomy Syndrome

### 1. 덤핑 증후군 (Dumping syndrome) 【15】【14】

- 위부분절제 환자의 50-60% 이상에서 발생 (Highly Selective Vagotomy : 1% 미만) BII ( ) 〉 BI)에서 더 흔하다

1. Early Dumping (식후 20~30분) ★ 증례

① 증상

　a. 위장관 증상: 오심/구토, 상복부충만감, 격련성복통, 심한 설사

　b. 심혈관계 증상: 심계항진, 빈맥, 발한, 실신, 현기증, 홍조, 시야장애

② 원인

| a. 위저장능 상실과, 유문부 파괴로 인한 **고삼투압음식물**이 소장에 유입<br>→ 삼투압에 의해 수액이 장내로 이동함<br>→ 혈관내 용적 감소 → Vasomotor Sx | b. **소장팽창**<br>→ Hormone 분비<br>(Serotonin, bradykinin-like<br>substance, Enteroglucagon)<br>→ Vasomotor Sx |
|---|---|

③ 치료

  a. **식이요법**

    • **고탄수화물식이를 피하고★**, 단백질과 지방함유식이를 **적은 양으로 자주한다. ★**

    **또한 식사 때 유동식 식이를 고형식이와 함께하지 않는다. ★**

  b. Octreotide로 호르몬 과다분비를 막는다.

  c. **수술**

    • 1% 이하에서 생각할 수 있으며, 위와 공장 사이에 10-20cm의 antiperistaltic limb을 삽입하는 방법 및 long-limb Roux-en-Y 문합을 만들어주는 방법 등이 있다.

2. Late Dumping (식후 2~3시간)

① "**심혈관계증상**"이 15~20분간 지속되며 탄수화물 섭취로 호전된다.

② 원인

  소장에서 탄수화물의 급속한 흡수 → 고혈당 → insulin 과다 분비 → 저혈당

  → **부신에서 catecholamine 분비하여 심혈관계 증상 유발**

③ 치료 ★★

  a. **적은양의 식사를 자주하고, 탄수화물 섭취 제한해야 한다.**

  b. 수술적 치료

    - 잔여위와 십이지장사이에 10cm antiperistaltic jejunal segment 삽입

## 2. 대사성 장애

① 빈혈【17】

| 철결핍성 빈혈 | 거대적혈모구 빈혈(Magaloblastic anemia) |
|---|---|
| • 위절제환자의 30% 이상에서 발생<br>• 원인<br>　－ 철의 섭취, 흡수 등 다양한 단계에서<br>　　장애가 발생한 결과임. | • 주로 **위의 50% 이상 절제**시 나타남<br>　• 원인<br>　－ intrinsic **factor**가 감소하여<br>　　VitB12흡수가 원활하지 않아 발생함.<br>　　혹은 **folate식이결핍**으로도 나타날 수 있다.<br>• 치료<br>　Cyanocobalamin을 매 3~4개월마다 근주해야함. |

② **지방흡수장애**

- BII이후 담즙과 췌액이 음식물속의 지방과 적절하게 혼합되지 못해 발생
- 지방변이 반복되면 췌장효소를 보충해야 한다.

③ **골 장애**

- **칼슘부족**으로 수술 4~5년 후에 Osteoporosis및 Osteomalacia가 나타날 수 있다.

## ■ 위재건과 관련된 Postgastrectomy Syndrome

### 1. Afferent-Loop Syndrome ★★【14】

- B-II STG후 발생
  - afferent loop가 30~40cm가량으로 길수록 antecolic fashion으로 문합했을수록 더 많이 발생한다.
- afferent loop이 막히면 팽창되고, 괴사 및 천공이 발생하며 bacterial overgrowth도 나타난다.
- CT 촬영으로 진단이 가능하다.

① 유형

　a. 급성

　　- 원인 : 소장의 Internal herniation, A-loop volvulus, kinking A loop

　b. 만성 혹은 부분적

　　- 원인 : 협착, 염증 및 유착반응등으로 발생

　　- 진단이 어렵다.

　　내시경에서 afferent limb이 보이지 않는 소견이 도움이 될 수 있고 Radionucleotide

　　scan(hepatobiliary scan)을 통해 정체되는 것을 확인할 수도 있다.

(그림) Afferent loop syndrome의 원인들

Kinking and
angulation

Internal
herniation behind
efferent limb

Stenosis of
gastrojejunal
anastomosis

Redundant
twisted afferent
limb(volvulus)

Adhesions
involving
afferent limb

② 증상

- 음식물 없는 담즙성구토를 하게 되고 (projectile) 구토후 증상이 호전된다.
  └ afferent limb의 내용물이 갑자기 분출되어 발생함.

③ 치료 (수술적 치료가 원칙임)

　a. BII → BI혹은 Roux-en-Y로 전환
　　　└ 이 경우 marginal ulcer 발생위험이 있으므로
　　　　concomitant vagotomy를 시행한다
　b. stoma 아래쪽으로 afferent & efferent loop를 문합한다 (Braun술식).

## 2. Efferent Loop Obstruction 【17】

• 드물며,

소장이 오른쪽에서 왼쪽으로 internal herniation되며 발생한다.

절반이상이 수술 후 첫달에 발생하며 조영검사로 진단하며 수술적 치료가 필요하다.

## 3. Alkaine Reflux Gastritis ★【15】

• 주로 B-II 후에 더 흔하다.

① 증상

• 지속적으로 속이 쓰리고 쓴물이 올라오는 것 같은 **상복부 불편감**

• 담즙성구토가 발생하는데 이는 음식물이나 제산제를 복용해도 **호전되지 않는다.**

　(Afferent loop syndrome과의 구분점)

② 진단

a. Tc-HIDA scan : 담즙이 reflux되는 경로를 알 수 있다.

b. 위내시경 : stoma 부위를 생검하고, 위액에 담즙함유 정도를 검사한다.

③ 치료

**a. 내과적 치료를 먼저 할 것**

　$H_2$ -receptor blocker, antiacid, cholestyramine, motility agent (MCP)

b. 증상이 심하고, 내과치료에 반응하지 않을 경우 수술 시행

　Choice : "Roux-en-Y 술식" ★★

　　　reflux 예방 위해 Roux lim은 G-Jstomy로부터 41-46cm하방에 위치, 수술자체가 ulcerogenic

　　　하기에, vagotomy, antrectomy가 안되어 있으면 시행함.

## ■ Postvagotomy Syndrome

### 1. Postvagotomy Diarrhea

• 위수술 후 평균 30%에서 설사가 나타남.

→ 보통 술후 3-4개월 뒤 호전됨.

① 기전

: 간외담도계와 소장의 denervation

→ unconjugated bile salt가 결장으로 빠르게 유입

→ 수분흡수 방해

② 치료

• 대부분은 저절로 없어짐.

약제로는 **cholestyramine** ((bile salt 와 결합)이 효과적

• 내과 치료에도 1년이상 효과없으면 (1%) Reversed antiperistaltic jejunal segment interposition

: Treitz 하방 90~100cm에서 10cm sized jejunum을 거꾸로 위치시킴.

### 2. Postvagotomy Gastric Atony

• 미주신경절제 후 antral pump 기능이 상실되므로 일시적으로 gastric emptying이 지연될 수 있지만, 이것이 지속되는 상태를 가리킨다.

① 진단 :

a. 위내시경으로 다른 해부학적인 이상이 있는지 먼저 확인한다.

b. 위배출에 대한 scintigraphic accessment

② **치료** : prokinetic agents( Metoclopramide혹은 Erythromycin )


## ◥ STRESS GASTRITIS

• 심한 화상, 외상, 출혈성쇼크, 호흡부전, 패혈증 등의 stress시 발생함.

• **위의 상부 및 fundus에 다발성의 superficial erosion발생함 ★**

• stress상황의 1-2일내에 발생하며 상부 위장관 출혈을 야기할 수 있다.

## ■ 발생 기전

• **위산에 대한 방어능력저하★★**로 인해 발생

mucosal ischemia

# ■치료

① 일반적인 지지요법

- 수액공급, 응고장애교정, 광범위 항생제투여

② NG tube를 통한 gastric lavage

(효과)

a. 위에 고인 **혈액제거**

b. **위팽창억제**

c. **gastrin분비촉진**

d. bile, pancreatic juice 같은 위에서 **유해한 물질제거**

└ 위의 기능을 저하시킴

→ 80%이상이 이러한 lavage로 출혈을 멈춘다.

그후 PPI및 H2 blocker로 intraluminal pH를 5.0이상으로 유지

③ Angiographic Tx

: Lt. gastric a.를 통한 vasopressin주입이 지혈에 도움이 될 수 있다.

④ **수술** : 6U(3000cc)이상의 **수혈이 필요할 때**

- 보통 출혈 부위는 proximal stomach, fundus이므로 이 부위로 **closing the anterior gastrotomy**
를 시행한 뒤 출혈 부위를 **figure-of-eight stitch**로 봉합한다.

→ 그 후 truncal vagotomy 및 pyloroplasty 시행

- 심할 경우 partial gastrectomy c vagotomy 및 TG도 시행할 수 있다.

# ■예방

① General care

② 위내산도를 **50이상으로 유지**한다.

→ Antacids, H2blocker or sucralfate를 이용할 수 있다.

cf) Antacid가 $H_2$blocker보다 효과적이며

**H2blocker**를 사용할 경우 간헐적 주입보다는 지속적 주입이 좋다.

**sucralfate**는 위내강의 알칼리화를 일으켜서 세균증식으로 인한 nosocominal pneumonia를 유발할 수 있으므로, 6시간마다 1g씩만을 사용한다.

③ 출혈위험이 있는 가장 강력한 두가지 위험인자 (호흡부전 & 응고장애)

※ 응고장애가 없거나 48시간 이하의 인공호흡기를 필요로 하는 경우 예방할 필요가 없다.

# BENIGN TUMORS

## 1. Gastric Polyps 【16】

| ① Fundic gland polyp | ② Hyperplastic polyps | ③ Adenomatous polyps |
|---|---|---|
| • 2-3mm 가량의 다발성 sessile 병변이 주로 위체부 및 위저부에 존재한다. | • m/c (28-75%), 크기 ≤ 1.5cm | • gastric polyps의 10% antral, solitary & eroded의 특징을 지닌다. |
| • 전체 polyp의 47%로서, malignant potential 없다. | • H.pylori 감염에 속발하는 chronic atrophic gastritis (4cm이상에서 40%에서 발생) → H. pylori를 치료하면 병변이 없어지기도 한다. | • tubular, tubulovillous or villous로 구분됨 • 선암이 21%에서 발견되고, 크기가 클수록, villous histology에서 악성위험도가 높다. |
| • 전암병변은 아니지만 이병변을 지닌 환자의 60%에서 결장직장암을 지닌다. → colonoscopy 필요 | • 자체는 nonneoplastic 병변이지만, dysplasia가 발생할 수 있다 (2% 선암동반) 발견시 조직검사를 위해 내시경적 절제를 해야 한다 cf) H. pylori와 관련된 위장 질환들 ① 위선암 ② 위림프종 ③ Hyperplastic polyp | (villous에선 33%가 선암임) 즉, 4cm이상의 경우 40%가 악성이며, tubular adenoma 중 6%가 악성인 게 비해 villous & tubulovillous adenoma중 33%가 악성이다. • 동시발생하는 선암이 위의 다른 부위에 있을 수 있다(8-59%). • 내시경적 절제를 시행하며, 수술적절제의 적응증은, a. sessile polyp ≥ 2cm b. polyps에서 invasive tumor가 발견시 c. 통증이나 출혈의 증상시 |

## 2. 이소성 췌장 (Ectopic Pancreas)

- Ectopic pancreas의 70%는 위,십이지장 및 공장에 위치한다.
- 대부분은 무증상이지만, 소화성궤양증상을 유발할 수 있다.
- **진단** : 내시경적 생검을 시행하지만, 점막하층에 위치하므로 진단에 어려움이 있다. (EUS, guided Bx)
- **치료** : 증상 유발시 수술적 절제 시행

## ◆ MALIGNANT TUMORS

### 1. Adenocarcinoma

■ 역학

### 1. 일반적인 위험인자들

---

① 식이
- 저지방 및 저단백질 식이
- 절인 고기 및 생선
- 높은 질산염 (nitrate) 섭취
  cf) nitrates는 세균에 의해 carcinogenic nitrites로 전환된다.
  과일이나 야채에 많은 "ascorbic acid" ★와 "βcarotene"은
  항산화인자로 작용하며, ascorbic acid는 nitrates → nitrites전환을 막는다.
- 높은 탄수화물 복합물 섭취

---

② 환경
- 음식을 적절하게 준비하지 못하는 환경 (굽거나 절인 음식) ex) 훈제식품★
- 냉장고가 없는 환경
- 부적절한 음료수 (우물물 → 질산염함유)
- 흡연

---

③ 사회적 인자
- 낮은 사회경계 계층

---

④ 기타
- 전에 양성질환으로 **위절제술**을 시행받은 경우★★
- **H. pylori 감염**★
- Gastric atrophy 및 gastritis★ : **악성빈혈**(Pernicious anemia)때 나타남
- 용종

  i) Hyperplastic polyp
  - 자체는 양성이지만, 위염을 유발하여 악성이 진행하는 환경을 제공한다.

  ii) Adenomatous polyps★
  - 암전구병변으로 크기가 **2cm** 이상이거나, **sessile** 용종 혹은 침윤성 선암을 동반할땐 수술적으로
    제거해야 한다.

- 남성

---

## 2. 유전인자의 변화

| ① 종양유전자의 활성화 | • HGF(hepatocyte growth factor) 수용체인 c-met protooncogene이 k-sam, c-erbB2 oncogene으로 overexpression된다. |
| --- | --- |
| ② 종양억제유전자의 비활성화 | • p53, p16가 비활성화된다 |
| ③ cellular adhesion 감소 | • adhesion molecule인 E-cadherin이 미만형(diffuse type) 위암의 50%에서만 발견된다. |
| ④ microsatellite instability존재 | • 20-30%의 장형(intestinal type) 위암에서 발견된다. |

# ■ 병리

## 1. Borrmann의 분류

| ① I형 | • polypoid 혹은 fungating lesion |
| --- | --- |
| ② II형 | • 경계부가 융기된 궤양성 병변 (ulcerofungating type) |
| ③ III형(m/c): | • 위벽으로 침투된 궤양성 병변 (ulceroinfiltrative type) |
| ④ IV형 | • 비만형으로 침투된 병변 (diffusely infiltrating lesion)<br>• 이 병변이 전체 위에 해당될 때 Linitis plastica라고 한다 |
| ⑤ V형 | • 다른 범주에 속하지 않을 때 (unclassifiable) |

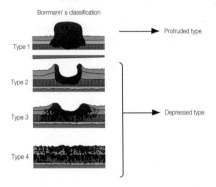

(그림) Borrmann's classification

Borrmann's classification

Type 1 → Protruded type

Type 2

Type 3 → Depressed type

Type 4

## 2. Lauren(1965)의 조직병리 분류법 ★

| 장형(intestinal type) | 비만형(diffuse type) |
|---|---|
| • 환경적인 영향을 받음.<br> – 즉, endemic area에 집중됨<br> – gastric atrophy 및 intestinal metaplasia 등의<br>  암전구병변에서 진행한다. | • 가족력과 관련됨.<br> – 혈액형 A와도 연관 |
| • M 〉 F<br>나이가 많을수록 증가<br>감소추세 | • F 〉 M<br>젊은 연령층에 많음<br>증가추세 |
| • H. pylori 감염과 관련됨. | • H. pylori 감염과 관련적다. |
| • 조직학적으로,<br>Well differentiated이며 gland를 형성한다. | • Poorly differentiated,<br>Signet ring cell type |
| • Hematogeneous spread<br>간전이가 많다. | • Transmural/ Lymphatic spread<br>복막전이가 많다. |
| • Microstellate instability | • E-cadherin감소 |
| • APC 유전자 변이 | |
| • p53, p16 비활성화 | • p53, p16 비활성화 |

## 3. Correa가 제시한 장형(intestinal type) 위암의 발병기전 모델

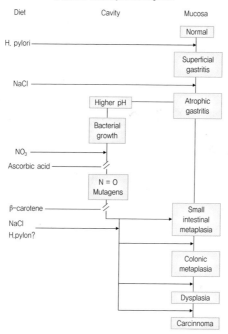

(그림) Model of human gastric carcinogenesis

위염 진행함에 따라 parietal cell등의 **수 감소**

→ exocrine secretion과 gastric acid **secretion 감소**

→ **pH 상승**

→ bacterial colonization 조장

→ 세균에 의한 nitrites와 N-nitrosamine 생성으로 더 **점막손상**

→ 점막의 metaplasia, dysplasia의 과정을 거쳐 **위암 발생**

### 4. 조기위암(EGC: Early gastric Cancer)

① 정의 : 림프절 침범유무와 무관하게, 점막 및 점막하조직을 침범한 악성종양(stage T1)

② 특징

- Antrum에 호발★

- 육안소견상 가장 흔한 type은 IIc이다.★

- 예후인자

    a. 원발성 병변의 **침습정도**, b. **림프절** 전이유무, c. **조직학적 분류**

③ 분류

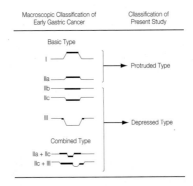

Macroscopic Cllassification of Early Gastric Cancer

Cllassification of Present Study

Basic Type

I
IIa
→ Protruded Type

IIb
IIc
III
→ Depressed Type

Combined Type

IIa + IIc
IIc + III

④ 치료

a. EMR (Endoscopic mucosal resection) 적응증

1) 점막(mucosa)에 국한되고 (T1a)   2) lymphovascular invasion이 없으며

3) 종양의 크기가 2 cm 이하   4) ulceration이 없고   5) 분화도가 좋은 (well differentiated) 경우

b. 위절제술

⑤ 예후

- 5년 생존율은, 70%(점막하조직침범, 림프절양성시) ~ 95%(점막침범, 림프절 음성시)

▶ 추가노트

☞ 종양크기가 작고((3cm), 점막에 국한되어 있는 경우 림프절전이 위험이 **3%**이며

이와 함께 종양에 궤양이 없고, 조직학적으로 **림프전이(lymphatic invasion)**이 없는 경우 림프절 전이 위험이 **1%** 이하이다.

■ **임상양상**

① 초기 증상이 **비특이적**이다. 즉, 상복부동통이 양성궤양 때와 큰 차이가 없다.

   하지만 통증이 일정하게 지속되고, 방사통이 없으며 음식물을 섭취해도 호전되지 않으면 악성을 시사한다.

② 진행되면 체중감소, 식욕부진, 피로 및 구토 등 15%에선 hematochezia, 40%에선 빈혈 동반됨.

③ **부위에 따른 증상**

   • GE junction → 연하장애(dysphagia)

   • distal antrum → gastric outlet obstruction

   • diffuse mural involvement(by linitis plastica) → 조기 포만감

④ **근치적 절제를 할 수 없는 경우**

> a. 만져지는 복부종괴
> b. Virchow's node : Lt. supraclavicular LN가 촉진될 때 ★
> c. Sister Mary Joseph's node : Periumbilical LN
> d. Blumer's shelf : 직장수지검사에서 종괴가 촉진될 때
> e. 간전이로 인한 **간비대, 황달, 복수** 및 cachexia
> f. Krukenberg's tumor : ovary

■ **술전 검사**

**1. 위내시경검사**

   • 4군데 이상 ulcer crater **주변부위**를 조직생검한다.

   필요시 EUS(Endoscopic Ultrasound)를 시행할 수 있다.

**2. CT**

   • 기본적으로 복부 CT검사를 시행하며, 여성인 경우 pelvic CT, proximal gastric Ca의 경우 chest CT도 시행함.

**3. 복강경검사**

   • CT로 5mm 이하의 병변을 찾지 못하기 때문에 필요성이 제기되었고, CT에서 절제가능하다고 평가된 환자의 23-37%에서의 전이병변을 발견하였다.

   • peritoneal fluid lavage에서 **악성종양세포가 나왔을 경우** stage IV에 해당되지만, false (+) 가능성도 있고, 항상 수술결과와 일치하지는 않으므로 **수술 진행을 막지는 못한다.**

# ■ 병기

## 1. TMN Classification

(표) TNM Classification of Carcinoma of the Stomach (AJCC; 2010)

| Primary Tumor, 원발종양 (T) | |
|---|---|
| TX | 원발종양의 침윤정도를 알 수 없음 |
| T0 | 원발종양의 증거가 없음. |
| Tis | 상피내암 (Carcinoma in situ), Lamina propria를 침범하지 않음. |
| T1 | mucosa 또는 submucosa까지 침범한 종양 |
|    T1a | Mucosa (점막층)를 침범 |
|    T1b | Submucosa (점막하층)를 침범 |
| T2 | muscularis propria (고유근층)를 침범한 종양 |
| T3 | Subserosa (장막하층)를 침범한 종양 |
| T4 | Serosa (visceral peritoneum) 또는 adjacent structures 를 침범한 종양 |
|    T4a | Serosa (장막)를 침범 |
|    T4b | Adjacent structures (주변장기)를 침범 |

| Regional Lymph Nodes, 림프절전이 (N) | |
|---|---|
| NX | Regional lymph node 전이 유무를 알 수 없음 |
| N0 | Regional lymph node 전이가 없음 |
| N1 | 1–2개의 림프절 전이 |
| N2 | 3–6개의 림프절 전이 |
| N3 | 7개 이상의 림프절 전이 |
|    N3a | 7–15개의 림프절 전이 |
|    N3b | 16개 이상의 림프절 전이 |

| Distant Metastasis, 원격전이 (M) | |
|---|---|
| M0 | 원격전이가 없음 |
| M1 | 원격전이가 있음 |

From AJCC cancer staging manual, 7th edition, New York, 2010, Springer.

## 2. R status : 위절제후의 tumor status를 표시한다.

① R0 : microscopic margin (−)
② R1 : 모든 macroscopic disease를 제거했지만, microscopic margin (+)
③ R2 : gross residual disease있는 상태
    cf) 장기생존은 R0후에만 기대할 수 있다.

## 3. 림프절의 위치 및 명칭

### (그림) LN station

림프절의 명칭 1: Rt. paracardial, 2: Lt. paracardial, 3: Lesser curvature, 4sa: Short gastric, 4sb: Lt. gastroepiploic, 4d: Rt. gastroepiploic, 5: Suprapholoric, 6: Infrapyloric, 7: Lt. gastric artery, 8a: Ant. comm. hepatic, 8p: Post. comm. hepatic, 9: Celiac artery, 10: Splenic hilum, 11p: Proximal splenic, 11d: Distal splenic, 12a: Lt. hepatoduodenal, 12b, p: Post. hepatoduodenal, 13: Retropancreatic, 14v: Sup. mesenteric v,, 14a: Sup. mesenteric a,, 15: Middle colic, 16al: Aortic hiatus, 16a2, b1: Para-aortic, middle, 16b2: Para-aortic, caudal

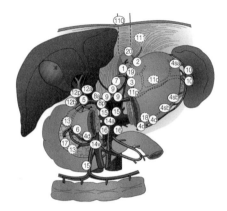

▬▬▶ 추가노트

※ Greater, lesser omentum이나 stomach 주위의 ligament는 adjacent structure에 속하지 않는다.
 • 정확한 병기결정을 위해선 최소한 16개 이상의 림프절절제가 필요하다.
◇ CIS시엔 Wedge resection만으로도 충분하다. ★
◇ 간전이 ★★
  1. **남자**에서 호발한다
  2. **Well-differentiated type** > Poorly-differentiated type보다 많다.
  3. Bormann I, II > Bormann III, IV
  4. 원발암의 Venous or Lymphatic invasion이 심한 경우 간전이 많다.

## ■ 치료 【17】【15】【14】【13】

### ■ 근치적 치료

#### 1. 위암 치료의 중요한 인자: 범위 (extent) & 위치 (location)

① 범위 (Extent)

→ 위암은 광범위한 intramural spread를 하기 때문에 적어도 6cm의 cutmargin을 확보해야 한다.

→ Japanese guidelines에서는 proximal margin을

- T1(조기위암)인 경우 : 2cm 이상
- T2이상인 경우: 비침윤성위암(Bormann Type1, 2)에서는 3cm 이상

  침윤성위암(Bormann Type3, 4)에서는 5cm 이상

을 권고하고 있다. 무엇보다 충분한 cut margin을 확보하는 것이 가장 중요하고, 필요시 수술중에 frozen section 검사를 통해 margin (-)를 확인하는 것이 좋다.

② 위치에 따른 치료

- 위쪽 1/3 : 위전절제술
- 아래쪽 2/3 : 위아전절제술

#### 2. 림프절 절제

① JCGC (Japan)의 방식

a. D1 절제 : 1군 림프절 절제

b. D2 절제 : 1군, 2군 림프절 절제

c. D3 절제 : D2절제 + para-aortic LN (16번) 절제

② D2 LN절제가 표준이다(동양에서).

조기위암에서도 D1+절제를 시행한다

(∵ 조기위암의 10% (점막침범시의 3%, 점막하층침범시의 20%)에서 림프절전이가 발견됨)

단, clinical하게 LN 전이가 없을 경우 점막까지 침범이 있거나(T1aN0), 1.5cm 이하의 분화도가 좋은 점막하층암(T1bN0)의 경우 D1 절제를 할 수 있다.

③ 부위에 따른 절제해야 하는 림프절

(그림) 림프절절제의 범위

| Lymph node dissection | |
|---|---|
| Total gastrectomy | Distal gastrectomy (Subtotal gastrectomy) |
| D0: Lymphadenectomy less than D1<br>D1: Nos, 1~7<br>D1+: D1 + Nos, 8a, 9, 11p<br>D2: D1 + Nos, 8a, 9, 10, 11p, 11d, 12a, | D0: Lymphadenectomy less than D1<br>D1: Nos, 1, 3, 4sb, 4d, 5, 6, 7<br>D1+: D1 + Nos, 8a, 9<br>D2: D1 + Nos, 8a, 9, 11p, 12a, |

## 3. 위절제술 후 재건 방법

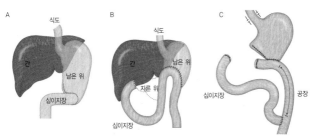

• **원위부 위절제술후 재건방법.** A. Billroth Ⅰ. B. Billroth Ⅱ. C. Roux-en-Y 문합술

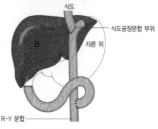

식도

식도공장문합 부위

자른 위

간

R-Y 문합

• 위전절제술 후 문합술

## ■ 치료 성적

① 위암 환자의 생존율은 55.9~64.5% 정도로 보고되고 있다. 근치적 절제를 시행한 경우에는 64.8~70.2%정
도로 보고된다.

② 재발은 수술 후 3년내에 많이 발생하며,

<u>locoregional failure</u>가 38-45%, **복막전이**가 54%에 해당한다.

> m/c재발부위 : 문합부위의 **잔여위**, **gastric bed** 및 **국소림프절**

cf) 단독 원위전이 (to liver, lung, bone)는 드문 편

③ 수술후,

| 첫 1년 | 다음 1년 | 그 다음 |
|---------|----------|---------|
| 4개월 간격 | 6개월 간격 | 1년 간격 |

CBC, LFT, CXR, abdomen & pelvic CT를 시행할 수 있고, STG를 시행받은 환자는 **매년 위내시경**을 시행받
는다.

▶ 추가노트

☞ 위암의 완화 치료 (Palliative Tx)
① 이미 4기인 상태로 병원에 오는 20~30% 환자를 대상으로 한다.
② 종류
 • 수술적 & 비수술적
 • 복막 및 간전이, 비만성 림프절 전이가 있는 환자의 출혈 및 폐색에 대한 치료는 "비수술적"인 방법을 먼저 사
  용한다.(laser recanalization, 내시경적 확장술, stent 사용)
☞ 위암의 보조적 치료 (Adjuvant Tx)
 • R0절제후의 chemoradiation은 생존율의 증가를 가져온다.
 • 복강내 화학요법을 시행하려면 수술직후 시행한다.

## 1. 위 림프종 (Gastric Lymphoma)

### ■ 역학

① 위는 위장관에서 림프종이 가장 많이 생기는 부위이다.

　하지만 일차성 위림프종의 빈도는 낮아서 위의 악성종양의 15% 이하 및 전체 림프종의 2%의 빈도이다.

② B symptom(fever, night sweats, weight loss)은 드물다. 절반이상의 환자에서 빈혈이 있다.

③ M:F=2:1, 50세★ 이상에 흔함 (40세 이하에서는 거의 없다)

　주로 antrum에 위치한다. 64-100%에서 H. Pylori 감염과 관련

### ■ 병리

※ 아래의 두가지 subtype이 가장 흔하다.

| ① Diffuse large B-cell lymphoma | ② MALT lymphoma (Extranodal marginal zone lymphoma) |
| --- | --- |
| · 빈도 55%<br>· 대부분 일차 병변이지만<br>　Less aggressive lymphoma가<br>　진행되어 나타날 수도 있다.<br><br>· 면역결핍 및 H. pylori 감염이<br>　위험인자 | ·40%<br>· 위(및 위장관, 폐, 침샘 및 갑상선)는<br>　보통 림프조직이 없지만 염증반응 후에<br>　생기게 되며, 염증반응 후 발달된 림프<br>　조직에 생긴 low-grade B cell lymphoma<br>　를 가리킨다.<br>· H. pylori감염이 선행한다.<br>　(→ 염증유발)<br>·H.pylori가 제균되고 위염이 좋아지면 저등급 MALT 림프<br>　종은 종종 사라진다 |

### ■ 검사 & 병기

① 위내시경 및 EUS (Endoscopic Ultrasound)

　: deep Bx. 에 의해 정확도 90~100%

② 원발전이 여부를 알기 위한 검사들

　: 상기도검사. CT(흉부 ~ 골반), 골수생검.
　　　　　　　└림프절종대 발견시 생검한다.

③ H. pylori 검사 (by histology or serology)

④ 수술시 병기결정

　- liver Bx. & mesenteric, retroporitoneal LN 생검할 것
　　Celiac, paraaortic L/N도 생검한다.
　- 위암에서 사용되는 TNM system이 사용된다.

⑤ 병기(Ann Arbor)

| IE | 종양이 위장관에 국한된다. |
|---|---|
| IIE | 종양이 국소림프절로 파급된다. |
| IIIE | 종양이 paraaortic LN 및 iliac LN로 파급된 경우 |
| IIIE–IV | 간,비장 등 다른 복강내장기로 파급되거나 복강밖 (가슴,골수등)으로 파급된 경우 |

## ■치료

※ multimodality Tx★가 원칙이다.

즉, 위절제는 아직 논란이 많고, 보통 CTx + RTx를 많이 시행한다.

① 항암요법
- 림프종치료의 기본이며, late-stage시에는 단독으로 쓸 수도 있다.
- 항암요법을 시행받는 환자의 위천공위험은 5%미만이다.

② 방사선요법
- 종양크기가 작을 때 효과적이다.
  즉, 3cm 이하시 100%반응하지만, 6cm 이상시 60-70%만 반응한다.
- 방사선치료 10년 후 30% 가량의 환자에서 장협착 등의 합병증이 발생한다.
  → 즉, 젊은 환자에선 신중하게 결정해야 한다.

③ 수술 : isolated IE 혹은 IIE의 경우

④ H. pylori박멸
- 초기의 MALT 림프종 혹은 매우 제한적인 diffuse large B-cell 림프종의 경우 75% 이상에서.
  H. pylori 박멸만으로도 림프종이 치료될 수 있다.
- H. pylori박멸만으로 치료되지 않는 경우 : 위전층에 종양이 퍼져 있거나 림프절 침범한 경우
  large cell phenotype, transformation (11;18) 혹은 Nuclear Bcl-10

### 2. 위 간질종양 (GIST)
- 전체 GIST의 60-70%가 stomach에서 발생 (m/c)
  (Stomach은 GIST 발생의 가장 흔한 부위이다)
  전체 gastric malignancy의 1~3% 차지
- M〉F (2배), 50대에 호발

■ 특징

① 병리

조직학적으로 **근육층** ★에 있는 cells of Cajal (자율신경계와 연관된 GI pacemaker cell)에서 기원함.

※ 발현하는 물질: Kit (CD117) 단백, CD34

② 병기

아래가 악성의 기준이며, 이 기준으로 **20%가 악성**이다. 즉, 전이여부는 양성악성기준이 아니다
(실제론 양성병변이 전이가 더 많다).

---

a. Mitotic index
ⓐ 낮은 경우 (50HPF에서 ≤ 5 mitoses시) → **양성**
ⓑ 높은 경우 (50HPF에서 > 5 mitoses시) → **악성**
ⓒ 매우 높은 경우 (50 HPF > 50 mitoses시) → **고도 악성** (High-grade malignant)
b. 크기 (≥ 5cm), cellular atypia, necrosis or local invasion
c. C-kit 변이는 악성 GIST에서 주로 나타나며, 좋지 않은 예후인자가 될 수 있다.

---

※ GIST의 대부분(80%)는 양성 GIST에 해당한다. 대부분의 **악성 GIST는 전이를 하지 않는데** 비해, **많은 양성 GIST는 전이**소견을 보인다(malignant behavior). 이렇게 전이를 하는 양성 GIST는 **병변의 크기가 보통 크며** 이 경우를 "Uncertain malignant potential"이라고 부른다.

③ **임상양상** : 위장관출혈, 통증/소화불량

④ **진단검사** : 위내시경 (생검을 통한 진단율 50%), CT, double-contrast UGIS

■ 치료

**1. 수술** 【17】【16】【13】

• 병변이 침투된 주변 조직을 포함한 margin (-) En bloc 절제
• 림프절 전이는 드물기 때문에 ((10%), 림프절절제술은 시행하지 않는다.
  (∵주로 간, 폐 등으로 혈행성 전이 )

**2. 약물치료** — 글리벡 (Gleevec ; Imatinib mesylate)

• tyrosine kinase의 선택적 억제제로 54%의 환자에서 최소 partial response를 보임.
• CD117 양성인 절제불가능★하며 전이를 지닌 GISTs에 사용함.

▶ 추가노트 .............................................................................

☞ "모든 GIST"는 정의상 Kit (CD117, stem cell factor)를 발현한다.
  그리고 "대부분(70-80%)의 GIST"는 CD34 (hematopoietic progenitor cell antigen)양성이다.
☞ HPF: high-power fields

### 3. 예후

- 수술후 5YRS는 48%

- 재발은 주로 술후 2년내 발생함. 재발과 관련된 인자

  > ① Mitotic index (≥ 15 mitoses/30HPF)
  >
  > ② 혼합된 세포 양상 (spindle cell & epithelioid)
  >
  > ③ c-kit exon 11에 deletion/insertion 변이가 있을 때
  >
  > ④ 남성

---

Gastric GIST의 악성도 평가 guideline (Sizes and Mitotic Activity)

Benign (no tumor-related mortality)
- No larger than 2 cm, no more than 5 mitoses/50 HPF

Probably benign (<3% with progressive disease)
- >2 cm but ≤ 5 cm; no more than 5 mitoses/50 HPF

Uncertain or low malignant potential
- No larger than 2 cm; >5 mitoses/50 HPF

Low to moderate malignant potential (12%-15% tumor-related mortality)
- >10 cm; no more than 5 mitoses/HPF
- >2 cm but ≤ 5 cm; >5 mitoses/50 HPF

High malignant potential (49%-86% tumor-related mortality)
- >5 cm but ≤ 10 cm; >5 mitoses/50 HPF
- >10 cm; >5 mitoses/50 HPF

---

## ▨ MISELLANEOUS LESIONS

### ■ Hypertrophic Gastritis (Menetrier's Disease)

#### 1. 병리

① 위저부(fundus)와 체부(corpus)에 두꺼운 gastric folds를 지니는 **전암병변**임. 점막은 조약돌(cobblestone) 혹은 체(cerebriform) 모양을 지님

② 조직소견 : foveolar hyperplasia + '벽세포 (parietal cells)가 없을 때'

#### 2. 임상양상

- 위에서의 과다한 **점액분비**로 인한 **단백질소실** 및 hypochlorhydria (or achlohydria)

- 소아에서의 CMV 감염 및 성인에서의 H. pylori 감염과 연관됨

### 3. 진단

① **조직생검** : 위암, 위림프종과의 감별 위해

② **24시간 pH monitoring** : hypochlorhydria 평가

③ **chromium-labeled albumin test** : 위장관을 통한 단백질 소실 평가

### 4. 치료

① 내과적 치료 : 항콜린약제, 위산분비억제제, Octreotide & H. pylori 박멸

② 내과적치료에 반응하지 않을 때 위전절제술 시행

## ■ 위석 (Bezoar)

### 1. 발생기전

위배출장애로 발생함.
└ vagotomy, antrectomy, outlet obstruction 등이 유발인자

### 2. Bezoar의 종류

| 위식물덩이 (Phytobezoar) | 위창자털덩이 (Trichobezoar) |
|---|---|
| • 식물성 물질 <br> → 효소 (papain, cellulose)로 용해시키거나, Orogastric tube로 세척 및 내시경으로 분쇄한다. | • 용해되지 않은 hair로 구성됨. <br> → 크기가 큰경우 수술적 제거를 하는 경우가 많다. |

## ■ Dieulafoy's lesion

### 1. 특징

• 위 동맥 위쪽의 표층점막에 미란 (erosion)으로 인해 혈관이 손상되어 "갑작스런 심한 출혈"을 일으킬 수 있다.

• 병변은 주로 proximal stomach에서 발생함.

### 2. 진단 및 치료

• 위내시경이나 혈관촬영을 통한 중재술로 치료하지만 조절이 안되면
수술을 시행한다.
└ gastric wedge resection

## ■ Gastric volvulus

### 1. 유형

| ① Organoaxial | ② Mesenteroaxial |
|---|---|
| • 전체의 2/3 빈도 | • 전체의 1/3 |
| • longitudinal axis로 torsion | • vertical axis로 torsion |
| • 급성 diaphragmatic defect와 연관 | • 부분적 (≤180도), 반복적 |

### 2. 증상 및 진단

• Borchardt's triad

> ① 일정하며, 심한 상복부 동통
> ② 토하지 않는 심한 구역질
> ③ L tube가 통과하지 않음

• 확진은 조영검사 및 내시경검사로 한다.

### 3. 치료

• 급성인 경우 응급으로, 개복하여 꼬인 것을 풀어준다. 횡격막결손도 교정한다.
• 횡격막결손과 관계없는 자발성질환의 경우, gastropexy 및 tube gastrostomy를 통해 위를 고정한다.

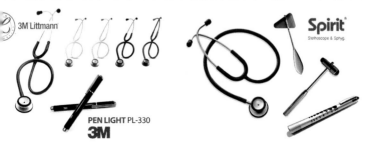

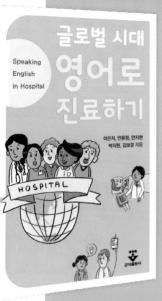

글로벌 시대
Speaking
English
in Hospital
영어로
진료하기

이은지, 안윤정, 안지현
박지현, 김보경 지음

HOSPITAL

군자출판사

**정가 15,000원**

병원 영어회와의
베스트셀러!!

글로벌 시대
영어로
진료하기

HOSPITAL

권이면 충분한 영어 진료

임상 실습기간동안 병원 영어회화를 마스터

외국인 환자와 대화하며 실습점수도 쑥쑥

가운 안에 쏙 들어가는 포켓 사이즈

응급실/중환자실, 검사실, 입/퇴원, 접수/수납 등과 같이

병원에서 가장 많이 쓰이는 기본상황을 영어로!

부록 : 일본어, 중국어 등 7개 언어의 간단 표현

군자출판사